지식해설가의

사회복지개론
강의노트

권오규

BOOKK

"지식해설가의 해설강의와 함께 공부하세요"

해설강의 듣는 방법_____

Ｉ 지식해설가 네이버 TV

Ｉ 지식해설가 네이버 Blog

지식해설가 네이버TV

지식해설가 블로그

지식해설가의 사회복지개론 강의노트

발 행 | 2023년 02월 23일
저 자 | 권오규
펴낸이 | 한건희
펴낸곳 | 주식회사 부크크
출판사등록 | 2014.07.15.(제2014-16호)
주 소 | 서울특별시 금천구 가산디지털1로 119 SK트윈타워 A동 305호
전 화 | 1670-8316
이메일 | info@bookk.co.kr

ISBN | 979-11-410-1699-9

www.bookk.co.kr

지식해설가의

사회복지개론
강의노트

권오규

프롤로그 Prologue

갓 스무 살이 넘으면서 세상이 정말 궁금해지기 시작했다. 그래서 태어나 처음으로 교과서나 문제집이 아닌 '책'이라는 것을 읽기 시작했다. 그러다가 대학원 석박사과정에서 접하게 된 '복잡계 패러다임'은 나의 공부 접근법을 근본적으로 바꾸어 놓았다. 세상을 부분적이고 분절적으로 이해하지 말고 전체적이고 통합적으로 바라보라! 맹인모상(盲人摸象)이 자연스레 스쳐 지나가는 순간이었다. 눈먼 장님들이 코끼리를 제각각 만지고 그 본 모습의 단면만을 말하고 있는 꼴이라니. 그 이후 나는 참으로 다양한 영역을 기웃거리기 시작했다. 수십 년 죽어라 기웃거려도 아직 코끼리 본 모습이 어떠한지 감도 잡히지 않는다. 그래도 코끼리 정면, 옆면, 윗면, 뒷면을 쉼없이 기웃거린다. 강사 디렉터, 대표강사, 책임연구원, 전략기획 이사 등의 명함을 잠깐씩 가진 적이 있었고 지금은 '지식해설가'라는 이름으로 그럴싸하게 폼잡고 있지만 나는 그냥 '초보 공부쟁이' 혹은 '초보 공부꾼'에 지나지 않는다.

그렇다면 공부에 관해서 걸음마 수준에 있는 내가 어째서 감히(?) 강의노트라는 이름으로 책을 만들었을까? 그 이유는 대학수준의 공부를 하는 것이 어려운 분들을 돕고 싶었기 때문이다. 2008년부터 다양한 현장에서 강의를 해 오고 있는데, 강의를 할 때마다 느끼는 것이 수강생분들이 너무 힘들어 한다는 점이다. 대학수준의 공부를 갑자기 한다는 것이 어디 그리 녹록하겠는가. 대학을 졸업하신 분도 완전히 새로운 분야를 다시 공부하는 것이 쉬운 것은 아니다. 그래서 미력하나마 좀 더 많은 분들이 무사히 공부를 마무리하실 수 있도록 도움을 드리고자 결심했다.

이러한 이유로 거창한 책보다는 핵심 포인트와 문제(key point & exercise)를 정리한 강의노트 형식을 채택했다. 강의노트다보니 자세한 설명을 글로 쓸 수 없는 한계가 있었다. 이를 보완하기 위해 강의노트 내용과 문제를 해설하고 풀어주는 동영상 강의를 동시에 제작하여 제공하게 되었다. 네이버 지식해설가 블로그와 지식해설가 네이버TV에서 무료로 제공된다. 네이버(NAVER)에서 '지식해설가'로 검색하면 된다. 강의노트와 동영상 강의를 병행하여 공부하는 것이 가장 효율적인 공부방법이다.

지식해설가 네이버TV

지식해설가 블로그

차례 Contents

01강 사회복지 한 컷, 정치

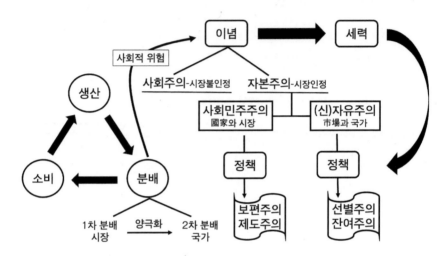

NOTE   정치의 삼각형(이념, 세력, 정책)

- 이념(철학, 이데올로기, 관점, 이상)은 세력의 방향(나침반)
: 이념은 정책을 통해 드러남
- 세력(권력, 힘)은 이념을 정책으로 현실화하는 것
- 정책(현실, 일상)의 속살은 이념과 세력관계
: 세력이 이념을 표현한 결과물
: 정책은 세력관계를 반영하면서 동시에 규정함
- 정치는 세력이 자신의 이념(이상)을 정책(현실)화하는 행위

KEY 01 사회복지의 개념과 필요성

1. 사회복지의 개념
① 사회복지는 사회적 위험에 대한 공적(집단적) 대응
② 사회적 관계 속에서 인간의 안녕 상태를 유지하는 것

2. 안녕 상태와 사회권

마셜(T. H. Marshall)의 시민권	
자유권(공민권)	• 언론, 출판, 집회, 결사, 사상, 표현의 자유
정치권(참정권)	• 선거권과 피선거권
사회권	• 사회적 기본권, 생존권적 기본권 • 생존과 생활유지를 위해 국가에 요구 • 의료, 주거, 교육, 소득 등을 보장하는 것 • 사회복지와 연관

3. 사회복지의 필요성
① 상존하는 사회적 위험에 대한 집단적 해결
② 시민들의 결핍된 욕구 해결
③ 체제의 정당성과 사회적 통합 및 안정 도모
④ 경제성장을 위해 사회복지 도입
• 실업보험, 무상교육 등을 통한 양질의 노동력 확보

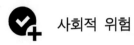 사회적 위험

- 베버리지의 5대 사회악과 복지기둥(대응)

사회악	위험	대응
결핍/궁핍	소득 위험	소득보장
나태/무위	실업 위험	고용제공
불결	주거 위험	공공주택
무지	교육 위험	의무교육
질병	건강 위험	공공의료

- 울리히 벡의 위험사회와 신사회위험

: 저출산, 고령화, 다문화 문제 등

QUIZ 01 베버리지가 주장한 5대 악(5대 거인)과 그에 대한 대응(복지기둥)으로 틀린 것은?

① 결핍 - 소득보장   ② 무지 - 의무 및 무상교육

③ 질병 - 공공의료   ④ 불결 - 공공 화장실

QUIZ 02 정치는 어떤 세력이 자신의 철학을 (   )으로 만드는 과정이다. (   )에 알맞은 말은?

① 이상   ② 이념   ③ 권력   ④ 정책

01강 문제풀이 연습

01 | 정치의 삼각형에 대한 다음 설명 중 틀린 것은?

① 정치의 삼각형 세 요소는 이념, 정책, 세력이다.
② 어떤 정책의 이면에는 이념과 세력관계가 존재하고 있다.
③ 사회복지는 중립적이므로 정치의 삼각형은 사회복지와 관련이 없다.
④ 어떤 정책의 방향을 이해하기 위해서는 이념을 참고해야 한다.

02 | 정치의 삼각형에 대한 다음 설명 중 틀린 것은?

① 어떤 세력이 자신의 철학(이념)을 정책으로 관철하는 것이 정치이다.
② 이상(이념)이 일상(정책, 현실)이 되는 것은 세력관계와 관련되어 있다. 즉, 정책은 세력관계와 연관된다.
③ 정책은 중립적이고 객관적이므로 이념과는 분리해서 파악해야 제대로 이해할 수 있다.
④ 이념은 어떤 세력이 나아갈 나침반과 같은 역할을 한다.

03 | 정치는 이념, 세력, 정책과 관련성이 있다. 다음 중 그 관련성에 대한 설명으로 옳은 것은?

① 정치가 이념과 무관하게 작동할 때 가장 좋은 정책이 만들어져서 시행될 수 있다.

② 정책은 매우 전문적 영역이므로 이념과는 연관성이 없다.

③ 정책은 그 이면의 세력관계와 무관하지 않다. 따라서 정책이란 세력관계를 반영하면서 동시에 규정한다.

④ 정책은 행정의 영역이므로 기본적으로 세력관계와 무관할 뿐 아니라 정치와도 무관한 영역이다.

04 | 베버리지의 5가지 사회악과 이에 대한 대응으로 맞게 짝지어진 것은?

① 무위 - 교육   ② 결핍 - 주거

③ 질병 - 의료   ④ 무지 - 무위

05 | 마셜의 시민권에 대한 설명 중 틀린 것은?

① 마셜은 시민권으로 자유권, 정치권, 건강권을 주장했다.

② 자유권은 언론, 출판, 집회, 결사 등의 자유가 해당된다.

③ 정치권에는 선거권과 피선거권이 있다.

④ 사회복지와 가장 연관이 깊은 것은 사회권이다.

06 | 정치는 이념, 세력, 정책과 관련성이 있다. 다음 중 정치의 삼각형에 대한 설명으로 옳은 것은?

① 정책은 항상 중립적이다.

② 사회의 민주화가 진행될수록 정책형성 과정에서 이념은 사라져야만 한다.

③ 이상(이념)이 일상(정책, 현실)이 되는 것은 권력(세력)관계와 관련되어 있다.

④ 이념이 정책과 연관되면 좋은 정책이 나올 수 없다.

07 | 베버리지의 5대 사회악에 해당하지 않는 것은?

① 실업   ② 무지   ③ 불결   ④ 결핍

08 | 마셜의 시민권 중 사회복지와 가장 가까운 것은?

① 공민권   ② 사회권   ③ 참정권   ④ 정치권

09 | 마셜의 세 가지 시민권으로 묶인 것은?

① 공민권, 경제권, 정치권   ② 사회권, 공민권, 정치권

③ 참정권, 경제권, 사회권   ④ 정치권, 사회권, 경제권

◯10 │ 마셜의 시민권에 대한 설명 중 옳은 것은?

① 공민권은 복지권과 깊이 연관되어 있다.
② 정치권은 선거권과 피선거권을 의미한다.
③ 사회권은 언론, 출판, 집회, 결사의 자유를 의미한다.
④ 사회권은 개인의 문제에 대한 사적인 대응을 총칭하는 말이다.

◯11 │ 정치의 삼각형에 대한 설명 중 옳은 것은?

① 삼각형의 세 요소는 이념, 정책, 이익이다.
② 정책의 방향을 이해하려면 이념을 참조해야 한다.
③ 정책의 이면에는 이익집단과 이념이 있다.
④ 사회복지는 중립적이므로 사회복지와 정치의 삼각형은 서로 관련이 없다.

◯12 │ 사회복지의 필요성에 대한 다음 설명 중 가장 거리가 먼 것은?

① 사회적 위험에 대한 집단적 해결
② 시민들의 결핍된 욕구와 이에 대한 해결
③ 사회적 통합과 안정의 도모
④ 공적 대응을 통한 개인적 위험 해결

사회복지학, 과학이자 예술

- 사회복지학, 예술이자 과학이 실현되는 과정
: 사회적 위험에 대한 전문적 개입 활동이므로 반드시 과학적 요소를 갖추어야 함(이성, 논리)
: 다양한 욕구를 지닌 인간의 안녕 상태를 추구하므로 예술적 요소를 갖추어야 함(감성, 직관)
: 과학 없는 예술은 전문성 없는 임의적·자의적 개입 활동
: 예술 없는 과학은 구체적 삶에 접근하지 못하는 감동 없는 무미건조한 학문
- 사회복지사
: 삶의 현장에서 감동을 주는 예술가인 동시에 체계적 이론과 기법을 구사하는 과학자
- 셰퍼와 호레이시(Sheafor & Horejsi)의 예술적 자질
: 동정과 인간의 고통에 직면하는 용기
: 의미 있고 생산적 원조관계를 수립하는 능력
: 변화에 대한 장벽을 극복하는 창의성
: 변화의 과정에서 희망과 에너지를 불어넣는 능력
: 건전한 판단력 발휘와 적합한 개인적 가치

13 | 사회복지에 대한 다음 설명 중 가장 거리가 먼 것은?

① 사회복지는 위험한 세상에 대한 사적 개입이다.

② 자유권, 정치권, 사회권 중 사회복지와 가장 관련된 것은 사회권이다.

③ 사회복지의 실천은 과학이자 예술이 동시에 실현되는 과정이다.

④ 사회복지에 추가된 신사회위험으로는 저출산, 고령화, 다문화 문제 등이 있다.

14 | 다음 중 셰퍼와 호레이시가 제시한 사회복지학의 예술적 자질과 거리가 먼 것은?

① 동정과 인간의 고통에 직면하는 용기

② 생산적이고 의미 있는 원조관계를 수립하는 능력

③ 희망을 불어넣는 능력

④ 변화에 대한 장벽을 극복하는 타협성

02강 사회복지, 상이한 두 시각

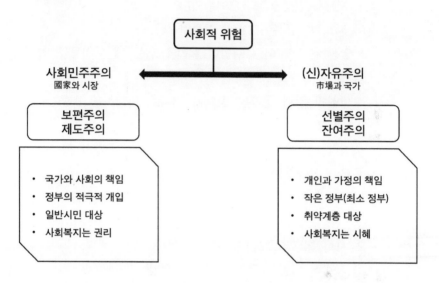

NOTE 국가냐, 개인이냐, 그것이 문제로다

- 사회민주주의 이념
: 보편주의와 제도주의 - 위험은 구조와 환경이 원인
- 자유주의 이념
: 선별주의와 잔여주의 - 위험은 개인과 가정이 원인

KEY 01 사회복지, 상이한 두 질문

1. 자유주의(선별주의/잔여주의)

① 사회적 위험은 개인과 가정의 책임

• 당신 신체의 어떤 결함이 물건을 쥐는 데 어려움을 야기하나요?

• 당신의 건상 문제나 장애가 기차로 여행하는 것을 어렵게 만드나요?

• 청각상의 문제로 인해 당신은 다른 사람들과의 의사소통에 문제가 있나요?

• 당신 자신에게 무슨 문제가 있는지 말해 주실래요?

2. 사회민주주의(보편주의/제도주의)

① 사회적 위험은 국가와 사회의 책임

• 캔 뚜껑의 디자인상의 결함이 그것을 쥐는 데 어려움을 야기하나요?

• 부적절하게 설계된 버스로 인해 당신이 그것을 이용하는 데 발생하는 어려움은 무엇인가요?

• 사람들이 당신과 대화할 능력이 없어서 그들과 의사소통하는 데 어떤 어려움이 있나요?

• 당신이 생각하기에 사회(국가, 정책, 법)에 어떤 문제가 있는지 말해 주실래요?

C KEY 02 사회복지, 상이한 두 가지 태도와 반응

1. 참치 캔을 따다가 손을 베었을 때, 누구의 책임인가?

① 자유주의(선별주의/잔여주의)

• 개인과 가정의 책임

: 애 좀 잘 돌보지

: 조심하지 그랬어, 내가 조심하라고 했지

: 위험한 물건은 아이에게 보이지 않는 곳에 치워야지

: 애를 혼자 두지 말았어야지

: 안전교육을 애에게 시켰어야지

② 사회민주주의(보편주의/제도주의)

• 사회와 국가의 책임

: 정부(국가)는 뭐하고 있었어

: 어느 회사 제품이야

: 정부가 안전교육을 충분히 실시했어야지

: 시민들을 조직해서 안전관리에 대한 법을 제정해야지

QUIZ **03** 문제(위험)의 원인과 책임에 대한 태도가 나머지 셋과 다른 하나는?

① 정부 정책에 어떤 문제가 있는지 말해주시겠어요?

② 어느 회사에서 만든 제품이야?

③ 사람들이 당신과 대화할 능력이 없어 어려우시겠군요.

④ 당신의 건강상 문제로 인해 그 일을 하기 어려우시겠군요.

QUIZ **04** 다음 질문들 중 나머지 셋과 그 성격이 다른 하나는?

① 당신 자신에게 무슨 문제가 있는지 말해줄 수 있나요?

② 당신은 이 사회에 어떤 문제가 있는지 말해줄 수 있나요?

③ 당신이 지닌 건강문제나 장애가 당신의 하고 있는 일에 어려움을 초래하나요?

④ 당신 건강상의 문제가 버스로 이동하는 것을 어렵게 만들고 있나요?

QUIZ **05** 가습기 살균제 사건에 대한 태도 중 나머시 셋과 그 성격이 다른 하나는?

① 사람이 죽어가는데 정부는 뭐하고 있었어.

② 그러니까 살균제품을 잘 보고 고르라고 했지.

③ 교통사고처럼 가습기 살균제의 가해자와 피해자가 원만하게 합의 처리해야 해.

④ 가습기 살균제 회사로부터 적정 수준의 보상을 받고 빨리 마무리 지어야 해.

⟳ 01 | 다음의 질문들 중 그 성격이 다른 것은?

① 당신 신체의 어떤 결함이 그 물체를 돌리는데 어려움을 초래하나요?

② 사람들이 수화(手話)를 배우지 않아서 당신은 그들과 원활한 의사소통을 하는데 어려움을 겪고 있나요?

③ 부적절하게 설계된 기차가 당신이 그것을 이용하여 여행하는 데 어떤 어려움을 발생시키나요?

④ 당신은 당신이 살고 있는 사회에 어떤 문제가 있는지 말해줄 수 있나요?

⟳ 02 | 참치 캔을 따다가 다친 아이가 울고 있다. 다음 중 이에 대한 태도가 다른 하나는?

① 정부는 제대로 감독하지 않고 뭐 하고 있었어.

② 집에서 애 좀 잘 돌 보지.

③ 도대체 어느 회사 제품이야.

④ 정부는 왜 학교에서 아이들의 안전교육 시간을 제대로 확보하지 않지.

03 │ 다음 질문들 중 그 성격이 다른 하나는?

① 왜 사람들이 수화를 배우지 않고 있는가?
② 당신의 장애와 건강상의 어떤 문제가 지금 하고 있는 일을 하는데 어려움을 발생시키고 있는가?
③ 도대체 왜 이 사회는 저상버스가 없는가?
④ 내가 사는 이 국가에는 어떤 문제가 있는가?

04 │ 참치 캔을 따다가 다쳤을 경우 그 반응이 나머지 셋과 다른 것은?

① 정부는 관리감독을 제대로 안 하고 뭐 하고 있었어.
② 위험한 물건은 아이가 보이지 않는 곳에 치워두어야지.
③ 그러니까 조심하라고 했지.
④ 애를 혼자 두지 말았어야지.

05 │ 지하상가 상인들의 반대로 횡단보도가 미설치되어 길을 건너던 노인이 다쳤다. 그 태도와 반응이 다른 것은?

① 조심해서 길을 건넜어야지.
② 지하상가로 건넜어야지. 준법정신이 없어.
③ 안전하게 건널목을 설치하지 않은 제도적 결함이 문제야.
④ 노인은 혼자 나다니면 안돼.

06 | 다음 질문들 중 그 성격이 다른 하나는?

① 청각상 문제로 인해 당신 주변 사람들과 의사소통하는데 어떤 불편함이 있습니까?
② 지적 측면의 문제로 인해 당신은 어려움을 겪고 있나요?
③ 이태원에서 사람들이 죽는 동안 정부는 무엇을 했는가?
④ 당신 자신에게 어떤 문제가 있는지 말씀해 주시겠어요?

07 | 청소년가출에 대한 태도의 성격이 다른 하나는?

① 치열한 입시경쟁, 부모님의 실직에 의한 빈곤 등의 사회구조가 초래한 결과야.
② 개인의 학교 부적응, 특히 인내심이 너무 부족해서 일어난 일이야.
③ 담임선생님과 적절한 상담이 진행되지 못한 것이 문제야.
④ 가족 간 의사소통이 제대로 이루어지지 않은 것이 문제야.

08 | 10·29 이태원 참사에 대한 서술 중 다른 관점은?

① 참사는 사람들의 잘못으로 인해 발생한 비극이야.
② 위험의 책임은 개인에게 있으므로 국가의 책임은 없어.
③ 이태원에 간 것이 잘못이야.
④ 신자유주의 정책에 따른 규제완화가 문제의 핵심이야.

09 | 다음 서술 중 사회복지 입장이 다른 것은?

① 참치캔을 따다가 다친 것은 부주의 때문이야.
② 정규직이 못된 건 평소에 자기계발에 소홀했기 때문이야.
③ 가습기 살균제 피해 발생은 국가가 관련법 제정을 미루고 기업에 대한 감독을 제대로 하지 않았기 때문이야.
④ 나이가 들어 거리에서 박스를 줍는 것은 젊어서 근면하지 않았기 때문이야.

10 | 수능 공부에 힘들어 하는 수험생에 대한 태도가 나머지 셋과 다른 하나는

① 위로의 말을 건네면서 정서적으로 지지해준다.
② 유능한 과외선생님을 찾아서 과외공부를 더 시킨다.
③ 대학입학에 모든 것을 걸어야만 하는 구조에 주목한다.
④ 성적에 크게 신경 쓰지 말고 최선을 다하라고 격려한다.

11 | 비행청소년에 대해 그 성격이 다른 태도는?

① 담임선생님과의 상담이 제대로 이루어지지 못한 결과다.
② 경쟁위주의 입시교육을 전면적으로 재검토해야 한다.
③ 개인의 학교 부적응 때문에 발생한 것이다.
④ 가족 간의 의사소통이 부재했기 때문이다.

03강 상이한 두 시각 비교정리

	(신)자유주의 선별주의/잔여주의	사회민주주의 보편주의/제도주의
기본 가치	경쟁, 근면 자조, 자립	연대, 협동 상호부조
평등	기회의 평등	조건의 평등
자유	국가로부터의 자유	국가에로의 자유
사회	쇼핑몰	공동체
정치형태	이익집단 정치	사회적 코포라티즘 거버넌스
민주주의	절차적 민주주의 법 앞의 평등	사회경제적 민주주의 실질적 민주주의 경제적 평등
자본주의	소비자 자본주의	인간의 얼굴을 한 자본주의
시장	진보의 핵심 동력	불평등의 온상
주체	호모 에코노미쿠스 경제적 인간 우열	호모 폴리티쿤 사회적 인간 차이, 개성
복지 대상	취약계층(최소 복지)	모든 시민(국민)
복지 인식	시혜, 자선	권리(사회권)
위험 책임	개인, 가정	국가, 사회 구조
스티그마	있음	없음

소극적 자유와 적극적 자유

- 소극적 자유(자유주의/선별주의/잔여주의)
: 국가로부터의 자유(freedom from)
: 타인이나 사회 또는 국가로부터 간섭을 받지 않을 자유
: 자유로운 선택의 기회와도 연관
: ex) 국가가 해외여행을 금지하여 여행 선택의 기회가 없음
- 적극적 자유(사회민주주의/보편주의/제도주의)
: 국가에로의 자유(freedom to)
: 스스로 원하는 행위나 목적하는 바를 할 수 있는 자유
: 사회적 조건, 다양한 수단 등이 필요
: ex) 가난하여 내가 원하는 해외여행을 할 수 없음

스티그마와 거버넌스

- 스티그마(stigma)
: 선별적(잔여적) 복지 시행에서 발생, 낙인감(모욕, 치욕)
- 거버넌스(governance)
: 보편적(제도적) 복지에서 중시
: 시민참여와 거버넌스에 기반한 복지
: 일방적인 정부 주도적 경향에서 벗어나 정부, 기업, 비정부기구, 시민조직 등 다양한 행위자가 네트워크를 구축하여 문제를 해결하는 새로운 사회운영 방식

기회의 평등과 조건의 평등

- 기회의 평등
: 자유주의/선별주의/잔여주의
: 모두가 같은 출발점에 서는 것(동등한 기회)
- 조건의 평등
: 사회민주주의/보편주의/제도주의
: 같은 것은 같게, 다른 것은 다르게
: 동등하게 권리를 누릴 수 있는 선결조건 제공
: 동등한 기회 → 시작 조건이 다른 경우 → 조건의 평등
- 결과의 평등
: 기회와 조건이 갖추어졌다고 해도 인식 문화의 변화가 안되어서(여성, 흑인 등의 사회적 차별) 좀 더 적극적인 방식으로 하는 것이 결과의 평등

QUIZ **06** 다음 중 서로 연관성이 가장 적은 것으로 연결된 것은?

① 호모 에코노미쿠스 - 우열
② 우열 - 기회의 평등
③ 기회의 평등 - 연대
④ 협동 - 국가에로의 자유(국가로의 자유)

$\left(^{KEY}_{01}\right.$ 토기와 거북이 우화

1. 토끼와 거북이 우화를 누가 좋아할까?

① 자유주의자, 선별주의자, 잔여주의자가 좋아함
- 개인적 경쟁의 기회 평등(동등한 기회)
- 자신의 노력(자조와 자립, 근면)으로 승리
- 열심히 노력하면 꿈은 이루어짐
- 나태하고 게으르면 패함 → 게으른 자의 패배는 당연함
- 경쟁력을 갖추기 위해 노력해야 함

② 사회민주주의자, 보편주의자, 제도주의자는 비판적임
- 기회의 평등을 지나치게 미화
- 조건이 달라서 같이 뛰면 안 되고 거북이가 이겨도 안 됨
: 거북이의 승리로 조건과 상관없이 열심히 하면 된다는 식으로 합리화
- 열심히 해도 안 되는 것은 안 됨 → 개천에서 용은 못나옴
- 토끼의 패배는 매우 예외적인 현상

QUIZ **07** 토끼와 거북이 우화에 대해 틀린 설명은?

① 보편주의자보다 선별주의자들이 좋아할 것이다.
② 조건의 평등보다 기회의 평등을 그 내용으로 담고 있다.
③ 연대와 협동으로 적극적 자유를 누리자.
④ 열심히 노력하면 개천에서도 용이 날 수 있다.

KEY 02 닉 부이치치 vs. 마서즈 비니어드 섬

1. 닉 부이치치(Nick Vujicic)
① 팔과 다리가 없는 선천적 장애를 극복한 대표적 인물
② 선별주의(잔여주의)를 대표하는 사례
• 기회의 평등을 설명하는 사례
• 누구나 열심히 하면 된다는 것을 보여주는 사례

2. 마서즈 비니어드(Martha's Vineyard) 섬
① 이 섬의 공용어는 수화
• 수화를 못하면 장애인이 됨
• 사회적 연대를 통해 청각장애 문제를 해결
• 청각 손상을 손상으로 볼 뿐 장애로 인식하지 않음
② 보편주의(제도주의)를 대표하는 사례
• 조건의 평등을 설명하는 사례

QUIZ 08 마서즈 비니어드 섬에 대해 타당한 설명은?
① 연대와 협동의 상징이다.
② 문제의 원인과 책임이 개인과 가정에 있다고 본다.
③ 차이와 개성보다는 우열을 중시하고 경쟁을 장려한다.
④ 이 섬에서는 수화를 못하면 수화 통역사가 대행한다.

03강 ‖ 문제풀이 연습

01 토끼와 거북이 우화를 사회복지유형과 관련지은 다음의 설명 중 옳은 것은?

① 이 우화는 선별주의자들이 더 좋아할 것이다.

② 조건의 평등과 결과의 평등을 담고 있다.

③ 아무리 열심히 해도 안 되는 것은 안 된다는 것을 말한다.

④ 사회적 연대와 협동을 통해 적극적 자유를 누려야 한다.

02 마서즈 비니어드 섬의 사례와 닉 부이치치 사례에 대한 다음의 서술 중 옳지 않은 것은?

① 마서즈 비니어드 섬에서는 청각의 손상을 단지 손상으로 볼 뿐 장애로 인식하지 않는다.

② 닉 부이치치 사례는 자립, 자조, 경쟁을 강조한다.

③ 마서즈 비니어드 섬 사례는 개인의 노력보다는 가족의 지지와 격려가 더 중요함을 보여주고 있다.

④ 닉 부이치치 사례는 마서즈 비니어드 섬 사례보다 낙인효과(스티그마 효과)에 긍정적이다.

03 마서즈 비니어드(Martha's Vineyard) 섬에 관한 다음 설명 중 타당하지 않은 것은?

① 이 섬은 연대의 상징이다.

② 이 섬의 사례는 문제의 원인을 개인으로 보고 있다.

③ 이 섬에서는 수화가 공용어이다.

④ 이 섬에선 수화를 못하면 비청각장애인이 오히려 장애인 취급을 받을 수도 있다.

04 다음 중 '연대의 공동체'에 대한 설명으로 가장 부적절한 것은?

① 법 앞의 평등과 절차적 민주주의만을 추구한다.

② 인간을 호모 폴리티쿤으로 바라보고 있다.

③ 국가에로의 자유(국가로의 자유, freedom to)를 지향한다.

④ 보편적 복지제도를 형성하고 있다.

05 다음 중 서로 연관성이 적은 것으로 연결된 것은?

① 호모 에코노미쿠스 - 우열과 경쟁

② 우열 - 기회의 평등

③ 기회의 평등 - 연대와 협동

④ 연대와 협동 - 국가에로의 자유(국가로의 자유)

06 | 마서즈 비니어드 섬과 닉 부이치치에 대한 다음 설명 중 가장 적절한 것은?

① 닉 부이치치 사례는 보편적 복지와 관련된다.
② 마서즈 비니어드 섬 사례는 잔여적 복지와 관련된다.
③ 닉 부이치치 사례는 경쟁과 기회의 평등을, 마서즈 비니어드 섬 사례는 연대와 조건의 평등을 상징한다.
④ 닉 부이치치 사례를 지지하는 사람은 문제의 원인과 책임을 사회적인 것에서 찾는다.

07 | 복지국가 이념에 대한 다음 설명 중 타당한 것은?

① 자유주의 이념은 사회적 연대에 관심이 높다.
② 사회민주주의는 자본주의가 복지국가를 통해 보다 인간적인 얼굴을 해야 한다고 주장한다.
③ 사회민주주의는 시장경쟁에 높은 관심을 가지고 있다.
④ 사회민주주의는 자유주의보다 잔여적 복지를 더 지지한다.

08 | 다음 중 가장 관련성이 적은 것은?

① 우열 - 기회의 평등　　② 우열 - 호모폴리티쿤
③ 연대 - 조건의 평등　　④ 연대 - 국가에로의 자유

09 | 토끼와 거북이 이야기는 선별주의와 연관되는데, 그 이유로 타당하지 않은 것은?

① 토끼와 거북이에게 동일한 경주의 기회, 즉 기회의 평등을 담고 있다.

② 거북이 자신이 열심히 노력해서 승리했다.

③ 게으른 토끼가 패배한 것처럼 가난은 그 사람이 게으르기 때문이다.

④ 토끼가 거북이에게 패배한 것은 아주 예외적 현상이다.

10 | 다음 질문 중 그 성격이 다른 하나는?

① 장애를 극복한 닉 부이치치처럼 노력하면 되겠지요?

② 당신 자신에게 어떤 문제가 있는지요?

③ 청각 손상이 문제가 되는 것은 마서즈 비니어드 섬과는 달리 사람들이 수화를 배우지 않아서 그런 것이 아닌가요?

④ 당신 신체의 어떤 문제로 인해 그 일을 수행하기가 어려운가요?

11 | 다음 중 연관성이 가장 높은 것은?

① 호모에코노미쿠스 - 차이

② 우열 - 적극적 자유

③ 기회의 평등 - 개성

④ 연대 - 국가에로의 자유

○12 | 토끼와 거북이 우화를 사회복지유형과 관련지어 설명할 때 가장 타당한 것은?

① 보편주의자들이 좋아할 것이다.

② 조건의 평등을 그 내용에 담고 있다.

③ 구조가 아니라 개인의 의지가 문제라는 것을 보여준다.

④ 연대와 협동을 통해 적극적 자유를 누려야 한다.

○13 | 닉 부이치치와 마서즈 비니어드 섬 사례에 대한 설명 중 가장 타당한 것은?

① 닉 부이치치 사례는 조건의 평등과 관련된 사례로 선별주의자들이 좋아할 가능성이 높다.

② 마서즈 비니어드 섬 사례는 연대의 상징으로 보편주의자들이 좋아할 가능성이 높다.

③ 마서즈 비니어드 섬 사례는 누구나 열심히 하면 된다는 것을 보여주며 이 섬에서는 전문가만이 수화를 한다.

④ 마서즈 비니어드 섬에서는 청각장애인이 많아 수화활동보조 서비스가 지원된다.

04강 자본주의와 이념의 대두

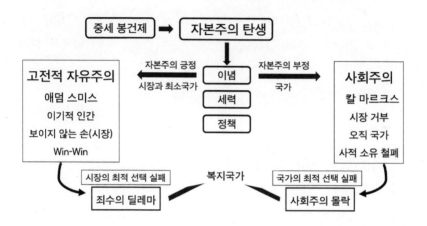

NOTE 중세 봉건제 사회

- 지배계급(성직자, 영주와 귀족), 피지배계급(농노)
- 토지의 소유(점유)를 중심으로 구성
: 토지를 매매할 수 없음, 토지는 상품이 아님
: 이익·이윤관념 없음, 고리대금은 죄악, 노동은 판매대상 아님
- 취약한 시장(자본주의적 시장의 부재)
: 지방적 차원의 명령과 관습이 시장을 대체
: 시장은 경제생활의 부속품, 경제체제는 사회체제에 흡수
- 사회운영원리는 계약(상호의무와 봉사)
- 인간을 운명적 존재로 봄

⊂KEY 01 애덤 스미스, 자본주의 정당화

1. 애덤 스미스(Adam Smith)의 대표 저서
① 도덕감정론(The Theory of Moral Sentiments, 1759)
• 인간은 도덕적 감정인 동감을 갖는 존재이기에 남에게 피해가 가지 않는 범위에서 자기의 이익을 추구
② 국부론(The Wealth of Nations, 1776)
• 국가들의 부의 성질과 원리, 국가가 부유해 지는 방법 제시

2. 애덤 스미스의 생각
① 부의 원천은 노동
• 노동생산력에 의해 부의 증진이 가능, 생산의 기초는 분업
② 자유로운 시장만이 개인과 국가를 부자로 만들어 줌
• '보이지 않는 손'(시장)에 의해서 자기 이익의 추구가 사회 전체 이익과 조화되는 방향으로 나아감

3. 인간의 이기심
① 중세시대에는 인간의 이기심을 죄악시함
• 토머스 홉스(Thomas Hobbes)는 인간이 이기적이라고 생각함 → 이러한 이기심을 견제하기 위해 국가가 필요
② 애덤 스미스는 인간의 이기심 때문에 모두가 잘 먹고 잘 살게 된다고 생각함

$\bigodot$ KEY$_{02}$ 칼 마르크스, 착취하는 자본주의

1. 칼 마르크스(Karl Marx)의 대표 저서
① 공산당 선언(The Communist Manifesto, 1848)
② 자본론(Capital, 1867)
• 어떻게 자본은 스스로 가치를 만드는가를 이야기
• 자본주의를 분석한 정치경제학 책

2. 칼 마르크스의 생각과 관심 사항
① 열심히 일하는 노동자들이 왜 가난한가?
• 자신이 일한만큼 다 갖지 못하기 때문(착취를 당함)
② 생산수단의 소유여부로 자본가와 노동자가 구분됨
• 자본주의에서 자본가 계급과 노동자 계급은 적대적 관계

3. 두 공장 비유
A공장 : 노동자가 생산수단을 공동으로 소유함
B공장 : 사장이 생산수단을 소유하고 노동자는 노동력을 사장
에게 상품으로 판매
• B공장에서 자본가의 착취가 발생함
: 노동시간 늘리거나 노동강도를 높임, 더 적은 임금을 받음
: 노동자들과 사장은 개인이 아닌 계급으로 존재
: 노동자와 사장은 적대적 계급
• 자본주의의 문제는 생산수단의 사적(개인적) 소유에 있음

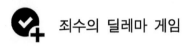 **죄수의 딜레마 게임**

용의자 A

		침묵	자백
용의자 B	**침묵**	(1년 형, 1년 형)	(20년 형, A석방)
	자백	(B석방, 20년 형)	(10년 형, 10년 형)

• 이기적이고 합리적인 두 죄수는 서로 침묵하는 것이 서로 자백하는 것보다 더 이익이 됨에도 불구하고 서로 자백을 하게 되어 최적의 선택을 못하게 됨
• 보이지 않는 손(시장)이 이기적 개인의 사적 이익을 사회 전체 이익으로 이끈다는 애덤 스미스의 생각은 틀렸음
• 네가 나쁜 짓(땅투기, 사교육, 탈세 등)을 하든 안 하든 나는 나쁜 짓을 하는 것이 언제나 이익
: 네가 나쁜 짓을 하든지 안 하든지 나는 무조건 한다를 선택

QUIZ 09 죄수의 딜레마를 바르게 설명하고 있는 것은?

① 다른 집이 땅투기를 안 한다면 나 또한 안 한다.
② 다른 집이 과외를 하더라도 나는 과외를 하지 않는다.
③ 결국 죄수들은 더 나쁜 선택을 하게 된다.
④ 죄수들과 검사는 서로 간의 의사소통에 실패한다.

04강 문제풀이 연습

◯ 01 애덤 스미스의 생각에 대한 다음 설명 중 가장 거리가 먼 것은?

① 인간의 이기성은 시장에서 잘 발휘될 수 있다.

② '보이지 않는 손'인 시장에서 자유로운 경쟁을 보장해 줘야 한다.

③ 애덤 스미스의 『자본론』은 노동자가 조직화하여 세력을 형성하는 방법을 제시한다.

④ 우리가 좋은 음식을 싸게 먹을 수 있는 것은 인간의 이기심 때문이다.

◯ 02 인간의 본성에 대한 설명 중 옳은 것은?

① 토머스 홉스는 인간이 본래 이타적이라고 보았다.

② 봉건제에서는 이기적 인간을 구하기 위해 신을 불신했다.

③ 애덤 스미스는 인간이 이기적이기에 우리 모두가 다 잘 될 수 있다고 생각했다.

④ 부르주아지는 가장 이타적 인간성을 가지고 태어났다.

03 | 애덤 스미스에 대한 다음 설명 중 옳은 것은?

① 『시장론』과 『국부론』을 저술했다.
② '보이지 않는 손'이란 시장을 의미한다.
③ 자유로운 시장은 개인과 국가를 가난하게 만든다.
④ 자본가의 이타심 덕택에 우리가 잘 살고 있다.

04 | 칼 마르크스에 대한 설명으로 옳은 것은?

① 자본가들이 어째서 가난한지에 대해 관심을 가졌다.
② 『자본론』은 자본주의를 분석한 정치경제학 서적이다.
③ 노동자가 생산수단을 소유하게 되면 이익은 더욱 적게 분배될 것이다.
④ 자본가가 생산수단을 소유하게 되면 이익은 더욱 많게 분배될 것이다.

05 | 죄수의 딜레마에 대한 설명 중 거리가 먼 것은?

① 다른 집들이 부동산투기를 안 해도 나는 한다.
② 다른 사람이 탈세를 하면 나도 한다.
③ 결국 가장 좋은 선택을 하지 못하게 된다.
④ 정보 부족 때문에 이 게임에서 승자는 죄수가 된다.

06 | 칼 마르크스가 아래의 두 공장 비교를 통해 이야기하고자 하는 것으로 옳은 것은?

A공장 : 노동자들이 생산수단을 공동으로 소유함

B공장 : 사장이 생산수단을 소유하고 있으며 노동자는 노동력을 상품으로 판매하고 있음

① 노동자와 자본가는 싫지만 서로 협력해야 한다.

② B공장 노동자들이 더 많은 임금을 받을 가능성이 높다.

③ B공장에서의 노동자들과 사장은 개인으로 존재하는 것이 아니라 계급으로 존재한다.

④ A공장이 만연한 사회에서 계급은 여전히 적대적 관계에 놓여 있다.

07 | 인간본성에 대한 다음 설명 중 옳은 것은?

① 자본가는 가장 이타적 인간성을 지녔다.

② 봉건제는 인간이 이기적이므로 모든 것이 잘 되어갈 것으로 보았다.

③ 애덤 스미스는 인간은 이타적 존재라고 생각했다.

④ 칼 마르크스는 인간이 인간다운 본성을 갖게 되기 위한 조건으로 계급철폐를 주장했다.

⭕08 | 애덤 스미스에 대한 설명 중 옳은 것은?

① 그는 시장을 신뢰할 수 없는 것으로 보았다.
② 그가 말한 '보이지 않는 손'이란 시장을 의미한다.
③ 시장이 핵심이므로 국가의 역할은 전혀 없어야 한다.
④ 자본가의 이타심 때문에 우리가 잘 사는 것이 가능하다.

⭕09 | 죄수의 딜레마와 무관한 것은?

① 죄수들과 검사 간의 게임은 복불복(福不福)으로 결정된다.
② 다른 사람이 부동산투기를 안 해도 나는 한다.
③ 최종적으로 죄수들은 가장 좋은 선택을 못하게 된다.
④ 다른 사람들이 과외를 하면 나도 과외를 한다.

⭕10 | 칼 마르크스에 대한 설명 중 옳은 것은?

① 자본가들이 왜 이타적인지에 대해 관심을 가졌다.
② 『국부론』은 인간의 심리를 파헤친 철학책이다.
③ 생산수단의 소유여부가 노동자와 자본가를 구분하는 핵심적
인 기준이다.
④ 노동자의 천성은 게으르다.

⭕11 인간의 본성에 대한 설명 중 가장 타당한 것은?

① 칼 마르크스는 인간을 이기적이라고 보았다.
② 봉건제는 인간이 신을 닮아 이기적인 것이라고 보았다.
③ 토머스 홉스는 인간이 이기적이라고 보았다.
④ 자본주의 체제에서는 부르주아지 계급이 가장 이타적인 인
간성을 가지고 있다고 보았다.

⭕12 칼 마르크스에 대한 설명으로 옳은 것은?

① 자본가들이 왜 이타적인가에 대해 큰 관심을 가졌다.
② 그의 책 『자본론』은 인간의 심리를 연구한 철학서적이다.
③ 노동자들이 열심히 일함에도 불구하고 왜 가난한지에 대해
관심을 가졌다.
④ 지식은 노동자와 자본가를 구분하는 핵심적 기준이다.

⭕13 애덤 스미스에 대한 설명 중 가장 적절한 것은?

① 자유로운 시장에서의 경쟁은 사회적 불평등을 더욱 심화시
키기 때문에 정부에 의해 철저히 규제되어야 한다.
② '보이지 않는 손'은 국가를 의미한다.
③ 그의 대표적 저술에는 『자본론』과 『국부론』이 있다.
④ 자유로운 시장이 개인 및 국가를 부유하게 만든다.

❍14 | 칼 마르크스가 아래의 두 공장의 비교를 통해 이야기하고자 하는 것으로 옳은 것은?

A공장 : 노동자들이 생산수단을 공동으로 소유함

B공장 : 사장이 생산수단을 소유하고 있으며 노동자는 노동력을 상품으로 판매하고 있음

① 자본주의가 지니고 있는 근본적인 문제는 생산수단의 사적 소유에 있다.

② 세상에는 여러 가지 유형의 공장들이 존재한다.

③ B공장의 노동자들은 살아남기 위해 자신의 사장에게 잘 보여야 한다.

④ A공장은 사장이 존재하지 않기 때문에 비효율적이다.

❍15 | 애덤 스미스의 생각과 거리가 가장 먼 것은?

① 인간은 이타적이므로 시장은 이러한 인간의 본성에 맞게 잘 조직되어야만 한다.

② '보이지 않는 손'인 시장에서의 자유로운 경쟁을 충분히 보장해 주어야야 한다.

③ 그의 책 『국부론』은 국가가 부유해지는 방법을 보여준다.

④ 사람들이 좋은 물건을 싸게 구입할 수 있는 것은 인간의 이기심 때문이다.

16 | 애덤 스미스에 대한 서술 중 가장 적절한 것은?

① 사람들이 좋은 음식들을 쉽고 싸게 구입해 먹을 수 있는 것은 인간의 이타적 본성 때문이다.
② '보이지 않는 손'보다는 시장에 모든 것을 맡겨야 한다.
③ 자본가의 이기심 덕택에 사람들이 잘 먹고 잘 산다.
④ 『자본론』은 국가가 부유해지는 방법을 제시하고 있다.

17 | 칼 마르크스에 대한 설명 중 가장 타당한 것은?

① 만약 노동자가 생산수단을 소유하게 되면 일한 것만큼 갖게 될 것이다.
② 노동자와 자본가는 적대적이기보다 상호보완적이다.
③ 생산수단은 능력 있는 자본가가 소유해야 한다.
④ 노동자와 자본가를 구분하는 기준은 생산력이다.

18 | 죄수의 딜레마와 관련성이 가장 큰 설명은?

① 죄수들은 최적의 선택을 못한다.
② 다른 집에서 탈세를 안 하면 나도 하지 않는다.
③ 다른 사람이 땅투기를 할지라도 나는 하지 않는다.
④ 시장에 맡겨두면 모든 것이 잘된다는 애덤 스미스의 주장이 옳았음을 뒷받침해 준다.

자본주의의 특징과 한계

- 자본주의의 특징
: 시장(보이지 않는 손)에 대한 예찬
: 모든 것을 상품화
: 이기심을 가진 인간의 탄생과 긍정
: 과학적이며 자연적이라는 이름으로 자본주의를 정당화
- 시장체제
: 개인은 금전적 이득이 되는 일을 해야 함
: 이익 때문에 과업을 수행함
: 기업가의 이윤추구가 국부를 증대시킴
: 시장에서 탈락한 사람은 게으르고 불성실한 사람
- 폴라니(K. Polany)의 자본주의 비판
: 노동, 화폐, 토지의 상품화가 시민들의 비극적 삶의 시작
- 마르크스의 자본주의 비판
: 상품 물신주의 팽배가 인간을 소외시킴
- 자본주의 다양성
: 자유시장경제는 시장중심의 경제(국가의 최소 개입)
: 조정시장경제는 정부나 사회의 조정과 개입이 일어남

05강 이념의 스펙트럼

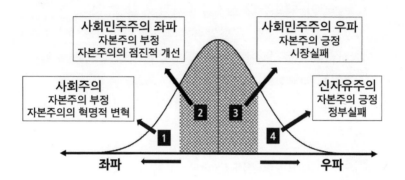

NOTE 이념의 구분 기준과 특징

▪ 자본주의의 인정 여부(1번, 2번 이념 vs. 3번, 4번 이념)

: 1번과 2번은 자본주의를 불인정하고 이를 넘어서 대안 모색

: 3번과 4번은 자본주의를 인정

▪ 자본주의를 넘어서는 방법의 차이(1번 이념 vs. 2번 이념)

: 1번은 폭력적 혁명을 통해 자본주의를 전복하여 계급 없는 생산수단의 공적 소유(사회화)를 추구(사회주의, 공산주의)

: 2번은 선거, 공기업 확대 등 합법적 방법으로 자본주의를 넘어서고자 함(페이비언주의)

▪ 시장과 국가에 대한 태도 차이(3번 이념 vs. 4번 이념)

: 3번은 시장실패에 의한 불평등, 빈곤, 독점 등을 국가가 개입하여 완화시키고자 함

→ 사회민주주의, 진보적 자유주의

→ 보편주의, 제도주의, 정부의 적극적 개입

: 4번은 시장을 사회 운영의 중심에 두고 국가는 정부실패를 야기하므로 보충적 실체로 봄(미국, 영국의 앵글로색슨모델)

→ 고전적 자유주의, 신자유주의

→ 선별주의, 잔여주의, 최소국가, 취약계층 대상

 페이비언주의(Fabianism)

▪ 1884년 설립된 영국 페이비언 소사이어티(Fabian Society)에 의해 제창된 점진적 사회주의

▪ 혁명적 방법보다는 계몽과 개혁을 통한 점진적이고 민주적 방식으로 사회주의를 성취하고자 만들어진 조직

▪ 혁명으로 단번에 목표를 달성하기보다 장기적 노력을 통한 성취를 추구한 로마장군 파비우스(Fabius)의 이름에서 페이비언이라는 말을 따온 것임

▪ 페이비언주의의 사회복지정책은 오늘날 사회민주주의로 나타나고 있음

CKEY01 사회복지 이념, 한 눈에 보기

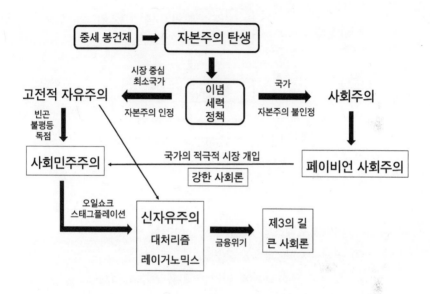

자유주의 성향	사회주의 성향
고전적 자유주의 신자유주의 제3의 길 큰 사회론	페이비언 사회주의 사회민주주의 강한 사회론

KEY 02 신자유주의 상징, 대처리즘과 레이거노믹스

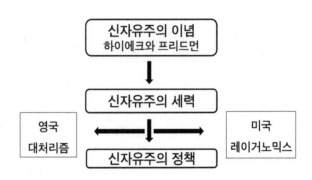

1. 레이거노믹스와 대처리즘의 전반적 특징
① 공급중시 경제학에 기반함
② 철저한 통화정책에 입각한 인플레이션 억제
③ 재정지출 삭감, 공기업 민영화, 규제완화, 노동시장 유연화
④ 작은 정부 지향

2. 레이거노믹스와 대처리즘의 한계
① 인플레이션 억제에 어느 정도 성공했지만 실업은 증가하였고 양극화에 따른 불평등은 심화됨.
② 레이거노믹스는 당시 미국의 전략방위구상(SDI)에 따른 국방비 증가와는 모순되는 측면이 존재함

01 ┃ 다음 이념의 지형도에 대한 설명 중 옳은 것은?

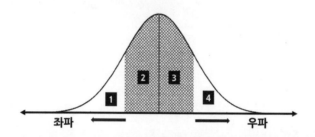

① 1번 이념은 점진적인 방법으로 자본주의를 개혁해야 한다고 주장한다.

② 3번 이념은 시장을 '보이지 않는 손'으로 간주하고 시장 자체를 폐지하려고 노력한다.

③ 1번과 2번 이념은 자본주의 체제를 문제라고 보고 자본주의 체제 자체를 전복해야 한다고 본다.

④ 3번과 4번 이념의 차이점은 폭력적 혁명을 찬성하는가의 여부에 있다.

02 다음 이념의 지형도에 대한 설명 중 옳은 것은?

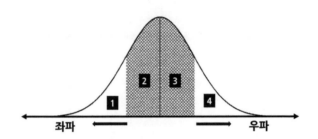

① 3번 이념은 점진적 자본주의 개혁을 주장하고 있다.

② 3번 이념은 시장을 '보이지 않는 손'으로 보고 시장을 적극적으로 보호하고자 한다.

③ 3번과 4번 이념의 차이점은 시장에 대한 정부의 개입을 어느 정도로 인정하는가에 있다.

④ 1번과 2번 이념은 사회주의가 문제라고 본다.

03 다음 중 사회복지 이념의 성향이 다른 하나는?

① 고전적 자유주의   ② 사회민주주의

③ 페이비언주의   ④ 강한 사회론

04| 다음 이념의 지형도에 대한 설명 중 옳은 것은?

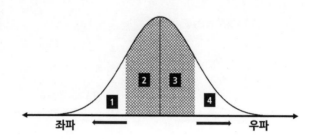

① 2번 이념은 점진적인 방법으로 자본주의를 개혁해서 사회주의로 나아가야 한다고 주장한다.
② 3번은 시장을 '보이지 않는 손'으로 간주하고 시장 자제를 적극적으로 보호하고자 한다.
③ 1번과 2번 이념은 자본주의 체제를 옹호하고 있다.
④ 2번과 3번 이념의 차이점은 폭력적 혁명을 찬성하는가의 여부에 있다.

05| 다음 중 국가의 역할을 강조하는 보편적 복지와 가장 거리가 먼 것은?

① 사회민주주의　　　　② 큰 사회론
③ 페이비언주의　　　　④ 강한 사회론

○06│ 다음 이념의 지형도에 대한 설명 중 옳은 것은?

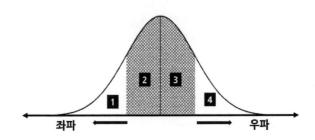

좌파 ◄— —► 우파

① 3번 이념은 선별주의 복지와 관련된다.
② 2번 이념은 급진적 사회민주주의로 페이비언주의가 대표적으로 이에 해당된다.
③ 4번 이념은 정부의 적극적 개입에 의한 제도주의 복지와 깊은 관련이 있다.
④ 1번 이념은 시장실패를 인정하고 이를 극복하기 위해 시장에 정부가 적극적으로 개입할 것을 주장한다.

○07│ 영국의 대처리즘과 가장 거리가 먼 것은?

① 신자유주의　　　　② 페이비언주의
③ 고전적 자유주의　　④ 제3의 길

08 | 대처리즘에 대한 다음 설명 중 옳은 것은?

① 대처리즘의 내용으로는 복지에 대한 공공지출 삭감, 노동시장 유연화, 국영기업의 민영화 등을 들 수 있다.
② 대처리즘은 보편적 복지를 지향한다.
③ 대처리즘은 국민 모두를 위한 국민의 집을 짓고자 한다.
④ 대처리즘은 민영화와 규제완화에 대해 비판적이다.

09 | 레이거노믹스와 대처리즘에 대한 다음 서술 중 사실과 거리가 가장 먼 것은?

① 미국의 레이거노믹스는 작은 정부를 추구했다.
② 영국의 대처리즘은 복지재원을 대폭 확충하여 불평등과 빈곤문제를 성공적으로 해결했다.
③ 레이거노믹스와 대처리즘은 신자유주의에 기반하고 있다.
④ 사회의 불평등 및 빈부격차가 심화되었다.

10 | 대처리즘과 레이거노믹스의 복지정책 기조와 거리가 먼 것은?

① 복지비용에 대한 삭감　② 공공부문에서의 국가책임 확대
③ 지방정부의 역할 축소　④ 각종 규제에 대한 완화

◯11 │ 대처리즘에 대한 서술 중 가장 타당한 것은?

① 대처리즘은 제도적 복지의 다양한 문제점들을 보완하여 영국 사회를 사회민주주 유형의 복지국가로 이끌고자 했다.

② 대처리즘은 영국 사회의 민주적 계급 투쟁을 통하여 자본주의의 여러 가지 문제점들을 해결하고자 했다.

③ 대처리즘은 공공지출을 삭감하고 각종 세금의 인하를 단행했으며 국영기업을 민영화하고자 했다.

④ 대처리즘을 통해 인플레이션과 빈부격차 문제를 성공적으로 해결하였다.

◯12 │ 다음 중 대표적인 신자유주의 정책인 대처리즘과 레이거노믹스의 특징으로 가장 거리가 먼 것은?

① 대처리즘의 영국 사회에 대한 개혁 내용으로는 공공지출 삭감, 세금 인하, 국영기업의 민영화 등이다.

② 레이거노믹스는 당시 미국의 전략방위구상(SDI)에 따른 국방비 증가와는 모순되는 측면이 있었다.

③ 대처리즘이란 영국 경제의 재생과 부활을 도모한 대처 수상의 사회 및 경제정책을 총칭하는 개념이다.

④ 대처리즘으로 인해 영국 사회는 인플레이션을 극복했을 뿐 아니라 실업문제도 성공적으로 해결했다.

06강 신자유주의 이념 논쟁

신자유주의 논쟁

케인스	Round 1	하이에크
시장 실패	◀─────▶	정부 실패
정부 개입	대공황?	정부 축소
수요 중시		공급 중시

촘스키	Round 2	프리드먼
양극화 주범	◀─────▶	완벽한 시장
反민주적 공간	시장?	민주주의 학습 공간
국민은 없음		국민에 이익
소비자		자유인, 창조인

NOTE 케인스(J. M. Keynes)

- 1929년 대공황은 수요 부족이 원인
: 시장실패에 따른 정부의 개입을 주장
- 수요 중시 정책(유효수요 창출이 공급을 증대시킴)
- 재정정책, 소득정책, 완전고용, 기본소득보장
- 미국의 루스벨트, 영국 노동당 정부

KEY 01 신자유주의자의 기본 입장

1. 신자유주의자들의 주장
① 대공황의 원인은 화폐공급 위축 때문
② 정부실패로 위기 발생(정부 역할 축소, 작은 정부 지향)
• 시장경제 활성화
③ 공급 중시(공급이 수요를 창출함)
④ 노동시장 유연화와 통화 조절 실시
⑤ 시장을 통한 복지, 최소한의 복지혜택
⑥ 미국의 레이건 정부와 영국의 대처 정부

2. 하이에크(F. Hayek)와 프리드먼(M. Friedman)
① 하이에크
• 시장의 자유가 없으면 그 사회는 노예의 길로 접어듦
• 최고의 자유가 구현된 사회는 외부의 간섭 없이 시장에서 자유롭게 살아가는 사회
• 야경국가(최소국가)를 주장한 고전적 자유주의 주장을 수용
② 프리드먼
• 국가의 개입은 인간을 의존적으로 만듦
• 자유인은 국가와 무관하게 존재할 때 가장 자유로움
• 정부는 사인 간 물리적 강제력 행사 금지, 자발적 계약 이행 강제, 법과 질서 유지를 위해 필요

KEY 02 프리드먼 vs. 촘스키(A. N. Chomsky)

1. 신자유주의가 만들어 내는 인간은?
① 하이에크/프리드먼
- 창조적이고 자유로운 인간
: 자유인은 국가가 자신을 위해 무엇을 할 수 있는지 묻지 않으며 자신이 국가를 위해 무엇을 할 수 있는지 묻지 않음
② 촘스키
- 소비자에 불과함, 효율과 경쟁을 위한 경제적 인간
: 쇼핑몰 속의 개인만이 존재하는 원자화된 사회

2. 신자유주의는 누구를 위한 이익인가?
① 하이에크/프리드먼
- 국부를 증대시키고 이익은 국민에게 돌아감
: 일정 정도의 불평등을 감수해야만 함
② 촘스키
- 국가의 부를 만드는 것은 환상
: 대기업을 위한 이데올로기 → 국민은 없음

3. 시장은 무엇인가?

① 하이에크/프리드먼

• 자발적 협력에 의한 성장과 진보의 요람이자 엔진

• 폭넓은 다양성 허용 → 시장은 정치의 모순을 해소

• 정치가 나오는 곳이 시장 → 시장이 정치에 우선

② 촘스키

• 시장은 신화에 불과함

: 거대기업이 경제를 지배 → 공정하고 합리적 경쟁은 없음

: 절대권력으로서의 기업 → 민주적 방법으로 운영되지 않음

• 시장은 민주주의를 억압하고 양극화와 사회분열을 유발함

: 노동조합과 같은 시장질서 방해 세력을 억압하면서 신자유주의 아래서 오히려 정부의 역할이 강화(확장)됨

4. 신자유주의와 민주주의의 관계는?

① 하이에크/프리드먼

• 신자유주의가 민주주의를 수호함

: 시장은 민주주의의 학습 장소

② 촘스키

• 신자유주의는 반(反)민주적임

: 기업에 의한 압도적 지배와 운영에 의해 정치적 무관심을 조성하고 불평등 및 빈곤을 야기하여 실질적 민주주의를 위협

문제풀이 연습

01 촘스키와 프리드먼의 신자유주의에 대한 다음 서술 중 가장 거리가 먼 것은?

① 프리드먼 - 자유인은 국가가 자신을 위해서, 그리고 자신이 국가를 위해 무엇을 할 수 있는지를 묻지 않는다.

② 촘스키 - 신자유주의가 국부를 증대시키는 것은 환상이며 신자유주의에는 국민이 없다.

③ 프리드먼 - 시장은 민주주의의 학습 장소이다.

④ 촘스키 - 신자유주의 이념에 따라 정부의 역할 축소와 복지에 대한 지출 규모의 감축은 당연하다.

02 신자유주의에 대한 다음 입장 중 맞는 연결은?

① 촘스키 - 자유인은 국가가 자신을 위해, 자신이 국가를 위해 무엇을 할 수 있는지 묻지 않는다.

② 촘스키 - 시장은 중요한 민주주의 학습 장소이다.

③ 프리드먼 - 신자유주의는 국부를 증대시킨다.

④ 촘스키 - 신자유주의는 보편적 복지를 추구하여 재정적자를 초래했다.

03 | 신자유주의에 대한 하이에크와 촘스키의 생각과 다르게 연결된 것은?

① 하이에크 - 자발적 교환을 통한 시장은 다양성의 장소이다.

② 촘스키 - 시장이 정치에 우선하며 정치를 이끌어야 한다.

③ 하이에크 - 시장은 민주주의의 학습의 장소이며 민주주의의 원형을 그 안에 담고 있다.

④ 촘스키 - 신자유주의는 시민(국민)이 아니라 쇼핑몰이 존재하는 사회 속에서 소비자를 만들어 낸다.

04 | 신자유주의 지지론자 프리드먼과 비판론자 촘스키의 서술 내용이 적절하지 못하게 연결된 것은?

① 촘스키 - 신자유주에는 국민이 없다.

② 프리드먼 - 신자유주의는 자유로운 인간을 만들어 낸다.

③ 촘스키 - 신자유주의는 정부를 축소시켰다.

④ 프리드먼 - 시장이 정치에 우선한다.

05 | 다음 중 학자와 그 내용 연결이 틀린 것은?

① 촘스키 - 신자유주의는 보편적 복지를 도입한다.

② 프리드먼 - 반(反)시장정책은 반(反)민주적이다.

③ 프리드먼 - 시장은 폭넓은 다양성을 허용한다.

④ 촘스키 - 신자유주의는 정부를 더 확장시켰다.

06 신자유주의 이론가에 대한 서술 중 틀린 것은?

① 프리드먼 - 국가의 개입은 인간을 의존적으로 만든다.
② 하이에크 - 시장의 자유가 없으면 그 사회는 노예의 길로 접어든다.
③ 하이에크 - 국가는 야경국가에 머물러야 한다는 고전적 자유주의 주장을 수용했다.
④ 프리드먼 - 자유인은 국가를 통하여 가장 자유로운 상태가 될 수 있다.

07 케인스와 하이에크 논쟁에서 케인스의 입장과 거리가 먼 것은?

① 정부의 적극적 시장 개입
② 공급 중시 경제
③ 유효 수요 창출에 따른 공급 증대
④ 재정정책과 다양한 소득보장 정책

07강 제3의 길과 큰 사회론

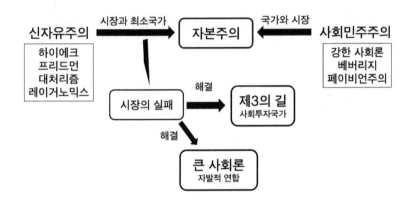

NOTE 강한 사회론(Strong Society)

- 1950년대 스웨덴의 국민의 집
: 공공책임 강화를 통한 개인의 행복 추구
: 집단연대의 역할 강조
: 베버리지의 5대 사회악은 국가의 책임
- 국가와 사회구조를 튼튼하게 할 때 시민들의 참여가 가능
: 사회적 임금을 강화할 때 마을이나 공동체 일에 참여함
- 보편복지를 지향함
: 제도주의 관점, 사회민주주의 이념에 바탕을 둠

CKEY 01 제3의 길, 재상품화

1. 제3의 길(Third Way)의 내용

① 앤서니 기든스(Anthony Giddens)와 제3의 길

- 제1의 길인 사회민주주는 자본주의와 시장을 과소평가함
- 제2의 길인 신자유주의는 복지국가에 대해 적개심을 가짐
- 제3의 길은 사회민주주의와 신자유주의의 사잇길

: 인간의 얼굴을 한 자본주의 만들기

- 영국의 토니 블레어 총리가 제창

② 제3의 길은 사회투자국가론

- 경제적 부양비를 국가가 직접 제공하지 않음
- 국가는 인적자본에 투자

: 개인들의 선택을 지원, 교육과 직업훈련을 통해 기회 확대

: 재상품화(양질의 노동력 상품 생산), 적극적 기회 재분배

: 근로연계복지(생산적 복지), 적극적 노동시장정책, 역량형성, 고용을 통한 자활 등을 전략으로 구사함

- 신자유주의와 선별주의에 가까움

: 노동시장 진입을 조건으로 국가가 투자 관점에서 지원

QUIZ **10** 다음 중 제3의 길과 가장 거리가 먼 것은?

① 근로연계복지　　② 데이비드 캐머런 총리
③ 재상품화　　④ 사회투자국가

CKEY 02 큰 사회론, 국가보다 사회

1. 큰 사회론(Big Society)의 내용

① 영국의 캐머런(D. Cameron) 총리

• 국가나 시장이 아닌 사회에 초점

: 큰 사회로 시장을 엄호

• 시장에서 유발된 문제 해결

: 국가가 아니라 사회에서 개인들의 자발적 연합에 의해 해결

: 사회를 크게 만들어 시장의 병폐 축소

: 국가의 역할 축소, 민간주도 마을 만들기

• 임파워먼트, 자유, 책임성 강조

: 시민사회와 공동체의 역할과 사회적 책임 강조

: 정부지출을 줄이고 민간과 지역사회의 참여 확대

: 복지에 대한 축소

• 정부 정책

: 사회적 기업과 사회행동 지지, 근린단체 형성과 발전 원조

: 큰 사회 창조의 문화 형성

• 블래처리즘의 보완이며 대처리즘이 원류

: 신자유주의 이념에 바탕을 둔 잔여주의 복지 관점

제3의 길과 큰 사회론의 공통점

- 사회구조와 계급보다는 개인에 주목
- 불평등을 인정하고 기회의 평등을 강조함
- 양질의 노동력 공급 국가를 선호
- 개인의 자발성을 통한 공동체 회복
- 자본주의 상품화를 위해 국가의 역할에 주목

QUIZ 11 강한 사회론에 대한 다음 설명 중 옳은 것은?

① 개인의 자립과 이웃 간의 상호 보호 강조
② 국가의 역할에 대한 기대를 하지 말자는 것을 내포함
③ 강한 사회 형성에 국가의 역할은 최소한에 머무름
④ 개인의 행복에 대한 공공의 책임을 증대함

QUIZ 12 큰 사회론에 대한 다음 설명 중 옳은 것은?

① 정부의 역할을 줄이고 지역사회가 자발적으로 복지 제공
② 보편적 복지를 추구하는 사회에 가까움
③ 국가는 강한 사회 형성에 보호막 역할을 해야 함
④ 1950년대 스웨덴에서 제기됨

07강 ‖ 문제풀이 연습

◯01 | 다음 중 큰 사회론과 가장 거리가 먼 것은?

① 관료, 지방정부, 중앙정부에게 의존하는 것이 아니라 사람들 스스로 문제의 해결책을 찾아야 한다.

② 정부는 권위주의적이고 융통성이 적다.

③ 국가가 아니라 사회다.

④ 시장은 국가에 의해 통제되어야 한다.

◯02 | 영국의 수상이었던 데이비드 캐머런(D. Cameron)의 큰 사회론에 대한 설명으로 옳은 것은?

① 큰 사회는 국가의 시장 통제를 통해 실현될 수 있다.

② 큰 사회론은 대처리즘과 결별하고 블래처리즘을 지지한다.

③ 양도세 등의 세율을 높여서 큰 사회를 실현할 수 있다.

④ 정부의 지출을 줄이고 민간과 지역사회의 참여 확대 방안을 제시했었다.

03 | 제3의 길에 대한 설명으로 거리가 먼 것은?

① 사회주의 이념을 추구한다.
② 재상품화를 지향하고 있다.
③ 제3의 길은 사회투자국가를 추구한다.
④ 영국 노동당 출신 총리인 블레어의 캐치프레이즈이다.

04 | 시민들이 자신들의 커뮤니티에 적극적으로 참여하도록 독려하는 것으로 영국 수상 캐머런이 내세운 슬로건은?

① 강한 사회론　　　　② 작은 사회론
③ 큰 사회론　　　　　④ 제3의 길

05 | 큰 사회론에 대한 서술 중 옳은 것은?

① 영국 사회가 작은 국가(정부)와 시민들의 낮은 사회적 책임으로 산산이 조각났다고 보았다.
② 영국 사회가 큰 국가와 낮은 시민들의 사회적 책임으로 산산히 조각났다고 보았다.
③ 블레어 정부가 주창한 이념으로 마을만들기를 옹호한다.
④ 제3의 길로 불리기도 하며 일을 위한 복지를 지지한다.

06 | 큰 사회론의 주장으로 가장 옳은 것은?

① 일명 제3의 길이라고 불린다.
② 계급투쟁 및 계급 간의 권력관계 변화를 통하여 사회의 가치분배방식을 바꾼다.
③ 영국 총리였던 데이비드 캐머런이 주창한 이념이다.
④ 일을 위한 복지를 지지하고 있다.

07 | 다음 설명 중 옳은 것은?

① 강한 사회론은 신자유주의 이념에 기반하고 있다.
② 큰 사회론은 민간주도의 마을만들기 실천에 주력한다.
③ 큰 사회론은 제도주의 복지와 맥을 같이하고 있다.
④ 강한 사회론은 잔여주의 복지와 맥을 같이하고 있다.

08 | 이념에 대한 다음 설명 중 옳은 것은?

① 애덤 스미스의 고전적 자유주의는 인간의 얼굴을 한 자본주의를 주장했다.
② 점진적 사회주의는 선거보다는 혁명을 선택하여 자본주의를 전복해야 한다고 보았다.
③ 제3의 길은 사회주의와 사회민주주의 사잇길을 의미한다.
④ 큰 사회론은 국가보다 사회의 책임성을 강조하고 있다.

09 | 사회복지와 관련된 철학(이념)에 대한 다음 설명 중 틀린 것은?

① 큰 사회론은 사회를 강화함으로써 시장을 개혁하려고 하기 보다는 엄호하고자 한다.

② 제3의 길은 신자유주의와 사회민주주의의 사잇길을 의미한다.

③ 사회민주주의는 보편적 복지를 지향하고 있기 때문에 연대성을 강조한다.

④ 사회민주주의와 비교하여 신자유주의는 시장을 통한 분배보다는 소득이전을 통한 분배에 관심이 많다.

10 | 다음 중 큰 사회론과 가장 거리가 먼 것은?

① 정부의 지출을 증가시키고 민간과 지역사회의 참여 확대 방안을 제시하고 있다.

② 정부의 권력을 민간에 이양하고 사회와 민간의 책임성을 높인다.

③ 근린단체의 형성을 원조하고 사회적 기업 및 사회행동을 지지한다.

④ 공동체에 대한 개인들의 책임성과 의무감을 강화한다.

○ 11 │ 큰 사회론과 강한 사회론에 대한 다음의 설명 중 가장 옳은 것은?

① 강한 사회론은 문제 해결을 위해 시장과 국가에 의존하지 않고 사회가 책임지는 것이다.

② 큰 사회론은 강한 사회론보다 국가의 역할에 대해 더 적극적으로 옹호하는 경향이 있다.

③ 강한 사회론은 국가가 사회 구조를 튼튼하게 바꾸어 사회임금을 강화할 때 시민들과 노동자들의 참여가 가능하다고 본다. 따라서 노동자의 참여 가능성이 높다.

④ 큰 사회론은 국가나 시장이 아니라 시민사회가 더욱 강해질 수 있도록 보편적 복지를 추구해야 한다고 본다.

○ 12 │ 신자유주의가 주장하는 국가개입과 거리가 먼 것은?

① 국가의 개입은 시장의 자유를 방해한다.

② 어떠한 영역에서도 국가의 개입은 이루어져서는 안 된다.

③ 국가의 개입은 매우 비효율적이다.

④ 국가가 개입하면 희소한 자원의 낭비가 초래된다.

08강 복지정치, 프레임의 정치

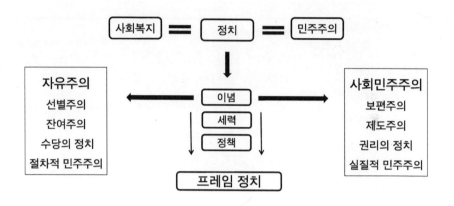

NOTE 수당의 정치 vs. 권리의 정치

- 수당의 정치
: 사회복지를 시혜나 자선, 봉사의 관점으로 이해
: 수혜대상은 취약계층(도시락 배달, 목욕 서비스 등)
: 물고기를 잡아다 줌
- 권리의 정치
: 사회복지를 참여, 권리, 연대의 관점으로 이해
: 수혜 대상은 일반시민
: 조직된 시민(노동조합, 시민단체)이 주체
: 물고기를 잡는 것이 자신의 권리라는 것을 자각하게 함

CKEY$_{01}$ 복지정치와 민주주의

선별주의 잔여주의	• 절차적 민주주의(형식적 민주주의) • 법 앞의 평등, 기회의 평등 • 자유권과 정치권 보장
보편주의 제도주의	• 실질적 민주주의(사회경제적 민주주의) • 경제적 평등, 조건의 평등 • 자유권, 정치권, 사회권 보장

QUIZ **13** 다음 중 시혜 관점의 복지와 관련된 것은?

① 물고기 잡는 것은 권리이다.　② 물고기를 잡아다 준다.

③ 물고기 잡는 법을 알려 준다.　④ 그물을 사 준다.

QUIZ **14** 다음 중 사회복지와 민주주의의 관련성을 가장 잘 보여 주는 권리는?

① 정치권　② 공민권　③ 자유권　④ 사회권

KEY 02 프레임의 정치

1. 프레임(frame)이란?

① 무의식 중에 형성된 인지적 틀

- 세상을 이해하고 해석하는 틀
- '세금 구제' 등과 같이 언어로 작동

2. 두 개의 사회복지 프레임

자유주의 프레임	사회민주주의 프레임
• 사회복지는 낭비	• 사회복지는 투자
• 선성장 후분배	• 선분배(선복지) 후성장
• 사회적 위험은 개인 책임	• 사회적 위험은 국가 책임
• 가난은 나라도 구제 못함	• 가난은 나라만이 구제
• 경쟁의 불가피성	• 연대와 협동의 우선성
• 시장임금의 중요성	• 사회임금의 중요성

QUIZ **15** 다음 중 그 성격이 다른 하나는?

① 선성장 후분배   ② 사회복지는 낭비
③ 위험은 개인의 책임   ④ 사회복지는 투자

08강 ‖ 문제풀이 연습

01 │ 사회복지를 자선과 시혜의 관점에서 보는 것은?

① 구조와 환경의 문제를 자각하게 한다.

② 권력(세력)관계의 변화를 알려준다.

③ 사람들에게 물고기를 직접 잡아다 준다.

④ 물고기 잡는 것이 자신의 권리라는 것을 자각하게 한다.

02 │ 다음의 사회복지 묘사 중 성격이 다른 하나는?

① 선복지 후성장의 정책 기조를 유지해야 한다.

② 경쟁보다 연대와 협동이 우선이다.

③ 가난은 나라도 책임지지 못한다.

④ 사회적 위험은 국가의 책임이다.

03 │ 다음 중 사회복지와 실질적(사회경제적) 민주주의의
상관성을 가장 잘 보여주는 권리는?

① 자유권　　② 정치권　　③ 공민권　　④ 사회권

04 다음 중 보편주의 관점의 사회복지 실천에 해당하는 것은?

① 물고기 잡는 법을 가르쳐 준다.
② 물고기 잡는 법을 알려 주고 그물도 사다 준다.
③ 물고기 잡는 것이 자신의 권리임을 자각하게 한다.
④ 물고기를 직접 잡아다 준다.

05 민주주의와 사회복지에 대한 설명으로 옳은 것은?

① 사회복지는 경제성장과는 전혀 관련성이 없다.
② 사회복지와 정치참여는 관련이 없다.
③ 사회복지는 실질적 민주주의와 관련이 깊다.
④ 보편적 복지는 절차적 민주주의와 깊이 연관된다.

06 다음 묘사 중 그 성격이 다른 하나는?

① 하늘은 스스로 돕는 자를 돕는다.
② 가난은 마땅히 나라가 구해야 한다.
③ 꿈을 꾸고 꿈을 이룰 수 있는 조건이 중요하다.
④ 시장임금보다는 사회임금이 높아 거지가 거의 없다.

07 | 다음의 사회복지 프레임 중 다른 하나는?

① 가난은 나라가 책임지고 구해야 한다.
② 사회임금이 높아서 거지가 거의 없다.
③ 사회복지는 인적자원개발과 같은 일종의 투자이다.
④ 열심히 노력하면 구두닦이도 서울대학교를 갈 수 있다.

08 | 복지국가와 민주주의 관계를 가장 잘 설명한 것은?

① 복지국가와 민주주의는 깊은 연관성이 없다.
② 사회경제적 민주주의에 기초한 사회에서는 절차적 민주주의에 기초한 사회에서보다 사회복지에 더 적극적이다.
③ 사회경제적 민주주의는 정치권을 배제하고 있다.
④ 절차적 민주주의는 사회권 보장과 실현에 적극적이다.

09 | 다음의 사회복지에 대한 설명 중 틀린 것은?

① 물고기를 직접 잡아다 주는 것은 자선과 시혜의 관점이다.
② 생산적 복지(노동을 통한 복지)의 관점은 물고기 잡는 법을 가르쳐 주고 그물도 사 주는 것이다.
③ 신자유주의는 복지병을 강조한다.
④ 물고기 잡는 것이 자신의 권리임을 자각하게 해 주는 것은 잔여적 복지와 깊은 관련이 있다.

09강 복지정치, 탈상품화의 정치

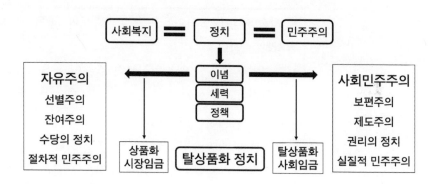

NOTE 상품화와 재상품화, 탈상품화

▪ 상품화(고전적 자유주의, 신자유주의)

: 시민이나 노동자들이 시장에 의존하는 정도

▪ 재상품화(제3의 길)

: 시장에서 탈락한 사람들을 교육·훈련으로 시장에 재진입시킴

▪ 탈상품화(사회민주주의)

: 시장에서 자신의 노동력을 상품으로 팔지 않아도 국가에 의해 최소한의 인간적 생활이 보장되는 수준

$\overset{\mathsf{KEY}}{\underset{01}{\mathsf{C}}}$ 탈상품화와 계층화

1. 복지국가 유형 구분 기준

① 에스핑-안데르센/앤더슨(Esping-Andersen)

탈상품화	• 시장에서의 업적과 무관하게 자신의 삶을 유지하는 정도 • 사회민주주의 국가는 탈상품화 수준이 높음 • 사회임금과 관련됨
계층화	• 개인과 집단이 서열화되는 것 • 불평등과 관련됨 • 복지수준이 높을수록 계층화 수준은 낮음

QUIZ **16** 다음 중 탈상품화와 가장 관련된 것은?

① 시장임금

② 개인적 노력을 통한 자기 자신에 대한 보호

③ 거리에서 박스를 줍는 노인들

④ 사회임금

$\left($ KEY $_{02}$ 시장임금 vs. 사회임금

1. 시장임금과 사회임금

① 시장임금

- 연봉, 월급, 시급 등이 대표적인 예
- 탈상품화 수준이 낮으면 시장임금은 높음
- 신자유주의 이념 추구와 밀접함

② 사회임금

- 의료, 교육, 주거 등에 대한 국가의 지원
: 무상의료. 무상교육, 공공주택
- 탈상품화 수준이 높아지면 사회임금은 높아짐
- 사회민주주의 이념 추구와 밀접함
: 스웨덴은 한국보다 사회적 임금 비중이 높음

$\boxed{\text{QUIZ}}$ **17** 다음 중 사회적 임금과 거리가 먼 것은?

① 학교에서 무상급식을 실시한다.
② 아동에게 월 10만 원씩 아동수당을 지급한다.
③ 아르바이트 임금으로 50만 원을 받았다.
④ 본인이 부담하는 의료비가 없는 무상의료를 실시한다.

09강 | 문제풀이 연습

01 | 탈상품화 개념에 대한 설명 중 가장 옳은 것은?

① 사회주의 사회에서의 분배시스템을 설명하는 개념이다.
② 탈상품화의 정도는 공공의료, 무상교육, 공공주택 등이 많이
이루어질수록 높다.
③ 애덤 스미스가 최초로 이 개념을 만들었다.
④ 탈상품화 개념은 노동자의 소비패턴과 깊은 관련이 있다.

02 | 사회임금과 시장임금에 대한 다음 서술 중 가장 적절한 것은?

① 시장임금은 탈상품화 수준과 깊은 관련이 있다.
② 신자유주의를 추구하는 사회일수록 소득에서 차지하는 사회임금의 비중은 시장임금에 비해 매우 높다.
③ 회사에서 주는 월급은 시장임금에 속한다.
④ 무상의료와 무상교육, 무상급식은 시장임금에 속한다.

03 | 다음 중 신자유주의와 가장 거리가 먼 것은?

① 대처리즘과 레이거노믹스는 신자유주의와 밀접하다.
② 사회의 계층화 수준을 낮추려고 상당히 노력한다.
③ 복지에 대한 공공지출의 삭감, 세금인하, 민영화 등이 주요한 정책들이다.
④ 빈부격차가 심해져 불평등이 심화될 가능성이 높다

04 | 다음 중 탈상품화와 관련성이 가장 적은 것은?

① 높은 사회적 임금 수준
② 국가지출에서의 높은 복지비 지출
③ 자신의 생계비를 충당하기 위해 박스를 줍는 노인들
④ 무상교육, 무상의료, 공공주택 등의 시행과 보급

05 | 시장임금과 사회임금에 대한 서술 중 옳은 것은?

① 탈상품화 수준이 높아지면 사회임금 수준은 낮아진다.
② 전체 소득에서 시장임금과 비교하여 사회임금의 비중은 스웨덴보다 한국이 더 낮은 수준이다.
③ 회사에서 일하고 받는 월급은 사회임금에 속한다.
④ 시장임금의 대표적 예로 무상의료, 무상교육 등이 있다.

06 다음 중 탈상품화 개념과 가장 밀접한 것은?

① 사회주의 사회에만 탈상품화 현상이 나타난다.
② 노동자들의 소비패턴과 관련이 깊은 개념이다.
③ 하이에크와 프리드먼이 이 개념을 만들었다.
④ 국가가 시장에서 상품을 구매하여 국민(시민)들에게 무상으로 나누어 준다.

07 신자유주의에 대한 설명 중 가장 거리가 먼 것은?

① 대처리즘과 레이거노믹스와 관련이 있다.
② 신자유주의는 사회의 탈상품화를 추구한다.
③ 신자유주의 대표 정책으로는 복지 관련 공공지출의 삭감, 각종 세금인하, 국영기업의 민영화 등이 있다.
④ 불평등과 빈부격차가 심해질 가능성이 매우 높다.

08 다음 중 사회적 임금에 대한 서술로 옳은 것은?

① 스웨덴보다 한국의 사회적 임금 수준이 더 높다.
② 일을 하고 회사에서 주는 월급이 대표적인 예이다.
③ 탈상품화 수준이 높으면 사회적 임금 수준도 높다.
④ 부모님이 의료, 교육, 주거에 대해 지원해 주는 것과 관련된다.

09 다음 중 탈상품화와 가장 관련성이 큰 것은?

① 거리에서 박스를 주워서 돈을 버는 것
② 명절날 할아버지께서 주신 세배돈
③ 부모님이 정기적으로 주시는 용돈
④ 지하철에서 버스로 환승할 때 버스비를 받지 않는 것

10 사회적 임금에 대한 다음 서술 중 옳은 것은?

① 사회적 임금은 탈상품화가 높을수록 낮아진다.
② 버스 환승시 '환승되었습니다', 즉 돈을 지불하지 않는 것은 시장임금에 해당된다.
③ 식당에서 일하고 받은 최저임금은 사회적 임금이다.
④ 사회적 임금은 국가가 의료나 교육 등에서 지원해 주는 것과 깊은 관련이 있다.

11 다음 중 탈상품화와 가장 거리가 먼 것은?

① 높은 사회적 임금 지급
② 지하철에서 버스를 갈아탈 때 '환승되었습니다.'
③ 무상교육과 무상의료
④ 길거리에서 박스를 줍는 사람들

🔵12 | 탈상품화 수준을 높이기 위한 정책으로 가장 거리가 먼 것은?

① 자신의 부모 소득 수준과 관계없이 고등교육을 받을 권리를 보장하는 정책을 시행한다.

② 노인과 실직자들에게 재취업을 위한 교육과 훈련을 통해 사회적 일자리를 제공하는 정책을 시행한다.

③ 혼자서는 거동이 불편한 장애인을 위해 24시간 돌봄 서비스를 제공하는 정책을 시행한다.

④ 경제적 능력과 무관하게 인간답게 살아갈 권리 차원에서 의료서비스를 제공하는 정책을 시행한다.

🔵13 | 다음의 탈상품화에 대한 설명 중 틀린 것은?

① 사회의 장애인 복지 수준과 탈상품화는 큰 상관이 없다.

② 탈상품화 수준이 높은 사회에서는 생계를 위해 거리에서 박스를 줍는 사람들의 수가 줄어든다.

③ 사회임금 수준이 높아지면 탈상품화 수준은 높아질 가능성이 크다고 볼 수 있다.

④ 지하철에서 내려 버스를 갈아탈 때 '환승되었습니다.'라고 하는 것은 사회임금과 관련이 있다.

14 계층화와 탈상품화에 대한 다음 설명 중 옳은 것은?

① 사회민주주의 이념을 추구하는 사회는 자유주의를 추구하는 사회보다 계층화와 탈상품화 수준이 모두 낮다.
② 복지수준이 높은 사회일수록 탈상품화 수준은 낮아진다.
③ 사회민주주의 이념을 추구하는 사회는 자유주의를 추구하는 사회보다 계층화와 탈상품화 수준이 모두 높다.
④ 탈상품화는 사회임금과 깊은 연관성이 있다.

15 탈상품화에 대한 다음 설명 중 옳은 것은?

① 사회민주주의를 추구하는 사회는 탈상품화 효과가 높다.
② 자유주의를 추구하는 사회는 사회보험 등을 통해 탈상품화 효과를 낮추려고 노력한다.
③ 자유주의를 추구하는 사회의 탈상품화 효과는 최대치이다.
④ 사회민주주의를 추구하는 사회는 상품화의 효과가 높다.

16 다음 중 시장임금을 중심으로 하는 국가에 대해 가장 적절하게 설명하고 있는 것은?

① 이 국가는 탈상품화 수준을 높이려고 노력한다.
② 스웨덴보다 한국이 시장임금 비중이 더 낮다.
③ 국가가 의료, 교육 등에 대해 지원하는 것이 시장임금이다.
④ 회사에서 주는 월급은 시장임금에 속한다.

10강 복지정치, 조세의 정치

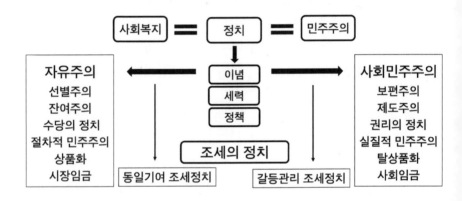

NOTE   신자유주의자 대처와 인두세(人頭稅) 파동

- 영국의 위기는 복지병에 있다고 진단
: 모든 주민에게 머리 수에 따라 동일하게 세금 부과
: 납세능력의 차이를 무시하고 각 개인에게 일률적으로 부과
: 인두세 파동으로 대처는 총리직에서 물러남

C KEY 01 복지정치와 조세

1. 복지국가와 조세정치
① 복지국가는 더 높은 탈상품화와 더 낮은 계층화를 추구
• 이를 위해 필요한 사회적 급여(돈)는 조세로 충당됨
• 조세 정치는 계급정치
: 소득이전을 둘러싼 갈등과 조정
: 누가 재원을 더 부담하는가를 둘러싼 갈등과 조정

2. 조세정치 원리
① 복지재원(조세)
• 종부세, 상속세, 법인세 등은 소득이전 효과가 있음
: 이러한 세금이 증가할수록 경제적 불평등은 완화됨
• 완전고용, 양질의 일자리, 높은 임금수준 등이 실현될수록
일반시민이 내는 세금이 증가함
• 직접세(소득세나 법인세 등)는 소득재분배에 기여함
: 직접세는 한 번 인하하면 다시 인상하기 어려운 역진불가능
효과가 작용함
• 간접세(소비세 등)는 소득역진현상을 나타낼 수 있음
② 복지지출(사회적 급여, 사회적 임금)
• 잔여주의적 사회복지(취약계층만 대상, 시장임금)
• 보편주의적 사회복지(일반시민 대상, 사회임금)

$\big(^{KEY}_{02}$ 두 개의 조세정치

자유주의 잔여주의 선별주의	• 상품화의 정치 : 간접세 선호 • 동일기여 조세정치(동일기여, 동일급여) : 소득과 무관하게 공평하게 부담 • 인두세(능력보다는 사람에 따라 부담) • 복지는 시장에 맡겨야 함 : 시장의 효율화가 개인의 복지를 책임짐 • 세금의 절대량 감소를 추구 • 조세의 역진성 발생 : 소득이 적은 사람의 세율이 더 높아짐
사회민주주의 보편주의 제도주의	• 탈상품화의 정치 : 직접세 선호 • 갈등관리의 조세정치 : 능력에 따른 부과와 필요에 따른 분배 : 불공평하게 거두어 불공평하게 분배 • 소득이전효과 : 빈곤과 불평등 완화, 소득이전에 관심 • 누진적 과세의 원리 적용

10강 　문제풀이 연습

01 ┃ 조세정치에 대한 다음 설명 중 가장 타당한 것은?

① 영국 총리 마거릿 대처는 인두세 도입을 반대했다.

② 범칙금을 부과할 때 소득을 기준으로 차등부과하는 것은 소득 역진적이라고 볼 수 있다.

③ 신자유주의 이념을 추구하는 사람들은 '부자감세'를 통해서 탈상품화의 수준을 높이려고 노력한다.

④ 보편적 복지를 추구하는 국가에서의 조세정치는 소득이전의 효과를 가져온다.

02 ┃ 다음의 조세정치에 대한 서술 중 옳은 것은?

① 고소득자에게 범칙금을 더 많이 부과하는 것은 잔여적 복지를 강화할 염려가 있다.

② 영국 총리 마거릿 대처는 인두세를 도입했다.

③ 소득이전의 효과와 보편적 복지국가에서의 조세정치는 서로 거리가 멀다.

④ 상품화 수준을 높이기 위해 신자유주의자들은 부자들에게 세금을 더 많이 부과하고자 한다.

03 | 보편적 복지를 실현하는 사회에서 일어나는 현상에 대한 설명 중 가장 옳은 것은?

① 재벌 상속자가 50km/h 구간에서 100km/h의 속도로 과속하다가 약 3억 원의 교통범칙금을 내게 되었다.

② 참치캔을 따다가 손을 다치게 되면 가족과 개인 탓으로 돌린다.

③ 이 사회에서는 부유층과 비교하여 상대적으로 빈곤층이 세금폭탄을 맞을 확률이 높다.

④ 저상버스가 너무 적어서 휠체어로 이동하는 장애인은 매우 큰 불편을 느끼고 있다.

04 | 조세제도(조세정치)에 대한 서술 중 옳은 것은?

① 신자유주의 이념을 추구하는 사회에서는 범칙금을 소득 수준을 고려하여 차등적으로 부과한다.

② 신자유주의 이념을 추구하는 사람들은 '부자감세'를 실시하여 탈상품화 수준을 낮추고자 노력한다.

③ 보편적 복지국가에서의 조세제도는 소득이전 효과와는 상관이 없다.

④ 영국 총리 마거릿 대처는 인두세를 도입하여 정권을 계속 유지하게 되었다.

05 다음 중 보편적 복지를 추구하는 사회에서 일어나는 현상으로 볼 수 있는 것은?

① 빈곤층과 비교하여 부유층이 세금을 내는 비율이 더 높다.

② 아이가 참치캔을 따다가 손을 다치면 개인과 가족의 책임으로 여긴다.

③ 저상버스가 많지 않아서 장애인이 휠체어를 타고 이동하기가 매우 불편하다.

④ 모든 시민들이 소득과 무관하게 범칙금을 동일하게 낸다.

06 조세정치에 대한 다음 내용 중 가장 타당한 것은?

① 범칙금을 소득 수준을 고려하여 차등적으로 부과하는 것은 저소득층에게 매우 불리하다.

② 신자유주의자들은 부자에 대한 감세를 적극적으로 실시하여 탈상품화 수준을 높이고자 노력한다.

③ 영국 총리 마거릿 대처는 서민들의 삶을 어렵게 만들 수 있음을 염려하여 인두세 도입을 거부했다.

④ 보편적 복지를 추구하는 국가에서의 조세정치(제도)는 고소득층에서 저소득층으로의 소득이전 효과를 발생시킨다.

07 | 다음 중 보편적 복지를 추구하는 사회에 대한 서술로 옳은 것은?

① 빈곤층이 부유층보다 상대적으로 세금폭탄을 더 많이 맞는다.

② 속도위반을 한 부자에게 일반인들과 똑같이 범칙금 5만 원을 부과했다.

③ 아이가 참치캔을 따다가 손을 다치면 그 참치캔을 제조한 회사와 이를 관리감독할 책임이 있는 국가를 비판한다.

④ 지하철 역에 설치된 엘리베이터가 적어서 휠체어를 탄 장애인들이 지하철을 이용하기가 불편하다.

08 | 조세정치에 대한 서술 중 가장 옳은 것은?

① 영국 총리 마거릿 대처는 인두세를 단호히 거부했다.

② 탈상품화 수준을 높이기 위하여 신자유주의자들은 '부자감세'를 실시하고자 한다.

③ 소득 수준에 따라 차등적으로 범칙금을 부과하면 부자가 세금을 덜 내게 된다.

④ 보편적 복지를 추구하는 국가에서의 조세정치는 소득이전효과를 발생시킨다.

09 | 조세정치에 대한 다음 서술 중 타당하지 않은 것은?

① 영국 총리 마거릿 대처는 인두세 도입을 찬성했다.

② 소득 수준에 따라 차등적으로 범칙금을 부과하면 소득이전의 효과를 만들 수 있다.

③ '부자감세'를 실시하면 결국엔 복지축소로 귀결될 개연성이 높아진다.

④ 소득에 따른 차등적 범칙금 부과는 소득역진적이다.

10 | 다음 중 보편주의 복지를 추구하는 사회와 가장 거리가 먼 것은?

① 능력에 따른 조세부과와 필요에 따른 분배를 선호한다.

② 누진적 과세의 원리가 적용된다.

③ 능력에 따른 과세를 위해 간접세보다는 직접세를 더 선호한다.

④ 자산 및 소득 수준과는 상관없이 공평하게 조세를 부담하는 것을 가장 이상적이라고 생각한다.

11강 복지정치, 타협의 정치

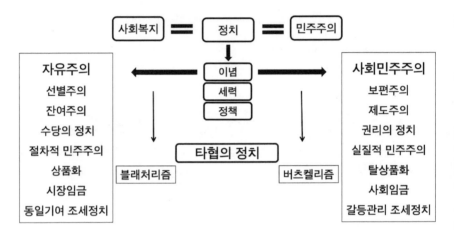

NOTE   전후 합의(post-war settlement)

- 영국은 제2차 세계 대전 중에 공유된 전쟁 경험으로 인해 전시 연립정부의 보수당과 노동당의 정치인 및 관리들 사이에서 '합의의 정치' 또는 '전후 합의'가 생겨남
- '버츠켈리즘'이란 용어로 상징되는 이 현상은 정책 면에서 케인스식 혼합경제, 완전고용, 주요 산업의 국유화와 공기업화, 국민건강보험을 필두로 한 근대의 복지국가, 국가간섭주의, 노조와의 협력관계 등을 포함

○ KEY 01 버츠켈리즘(Butskellism)

1. 전후 합의 또는 합의의 정치
① 대립정당이 같은 정책을 들고 나오는 상황을 일컫는 용어
• 1945~1979년까지 영국 노동당과 보수당의 정책은 유사
• 노동당의 당수인 게이츠켈(Gaitskell)과 노동당의 정책을 계승한 보수당의 버틀러(Butler)의 합성어
• 1979년 대처리즘이 등장하기까지 수십 년 동안 보수-진보의 타협과 합의의 상징이 됨
② 보편적 복지(제도주의적 복지)를 추구함

2. 대처리즘의 대두
① 버츠켈리즘 파기
• 1979년 집권한 대처
: 전후 합의의 탈상품화 정치가 존엄과 자립, 자조정신을 상실하게 만들었다고 비판
• 대안은 없다(There is no alternative, TINA)
: 대처의 자유시장과 자유경제를 옹호한 발언
: 신자유주의만이 진리라는 입장을 대변
• 민영화, 탈규제, 자유화 등을 통해 시장제도 형성
• 노동유연성 확대, 노동조합 영향력 감소
• 주주 민주주의 지지

C^{KEY}_{02} 블래처리즘(Blatcherism)

1. 신자유주의 합의(new liberal consensus)
① 1994년 노동당 당수가 된 토니 블레어
- 노동조합의 영향력을 대폭 축소
- '제3의 길'을 표방(신자유주의와 사회민주주의의 사잇길)
: 실질적으로는 보수당 대처의 영향력 아래에 있었음
- 블래처리즘
: 대처와 블레어 간의 수렴현상
: 신자유주의 합의를 의미(잔여주의적 복지)

QUIZ **18** 복지정치를 타협의 정치라고 할 때, 다음 중 이와 관련성이 가장 적은 것은?
① 사회적 조합주의　　② 온정적 군주에 의한 시혜
③ 영국의 블래처리즘　④ 영국의 전후 합의

QUIZ **19** 복지정치와 관련하여 가장 거리가 먼 것은?
① 프레임의 정치　　② 탈상품화의 정치
③ 지역주의 정치　　④ 조세의 정치

01 버츠켈리즘에 대한 다음 설명 중 틀린 것은?

① 버츠켈리즘은 영국 노동당과 보수당의 복지정책이 서로 비슷함을 보여준다.

② 버츠켈리즘은 복지정치가 갈등과 조정 및 타협에 기반하고 있음을 보여준다.

③ 버츠켈리즘은 복지정치가 도덕과 윤리에 기초하고 있음을 보여준다.

④ 버츠켈리즘은 전후 합의(합의의 정치)로도 불리운다.

02 타협의 정치로 복지정치를 바라 볼 때, 다음 중 가장 관련성이 적은 것은?

① 갈등에 대한 지속적인 토론과 협상의 진행

② 버츠켈리즘과 블래처리즘

③ 전후 합의(합의의 정치)와 민주적 계급투쟁

④ 정부의 결단에 따른 보편적 복지제도의 도입

03 | 신자유주의 정책을 추진한 영국의 대처에 대한 다음 설명 중 가장 거리가 먼 것은?

① 더 이상 대안은 없다(TINA)
② 국영기업의 민영화와 주주 민주주의 지지
③ 버츠켈리즘
④ 주민세에 인두세 도입 시도

04 | 타협의 정치로 복지정치를 볼 때, 다음 중 그 연관성이 가장 적은 것끼리 묶인 것은?

① 버츠켈리즘 - 블래처리즘
② 시장의 보이지 않는 손 - 대처리즘
③ 노동조합과 기업, 정부 간의 논의 - 민주적 계급 투쟁
④ 전후 합의 - 블래처리즘

05 | 버츠켈리즘과 가장 거리가 먼 것은?

① 신자유주의 합의로 잔여주의적 복지와 관련된다.
② 추구하는 이념이 대립적인 정당들이 같은 내용의 정책을 제시하는 상황과 관련된다.
③ 버츠켈리즘은 그 내용이 제도주의적 복지와 관련이 있다.
④ 영국 총리 대처에 의해 버츠켈리즘은 파기되었다.

06 | 버츠켈리즘에 대한 설명으로 옳은 것은?

① 전후 합의의 노동당과 보수당 간의 갈등과 관련이 있다.
② 서로 대립적 정당이 상이한 정책을 추구하는 상황을 의미한다.
③ 복지정치는 서로 갈등하고 타협하는 정치라는 것을 상징적으로 잘 보여준다.
④ 복지국가와 복지정치가 도덕적이고 윤리적 상황에 기반하고 있을 묘사하고 있다.

07 | 다음 중 신자유주의 입장과 가장 가까운 것은?

① 최소국가와 작은 정부지향
② 공급보다는 수요위주의 정책 강화
③ 지방의 권한을 축소하고 중앙집권화 강조
④ 기업경쟁력 강화를 위한 법인세율 상승

08 | 인간의 얼굴을 한 자본주의 실현은 수많은 갈등과 타협을 통한 복지정치와 관련되어 있다. 이와 거리가 먼 것은?

① 민주적인 계급 투쟁　　② 권위주의와 헤게모니의 정치
③ 전후 합의(버츠켈리즘)　　④ 코포라티즘(조합주의)

12강 복지정책과 제도, 빈곤

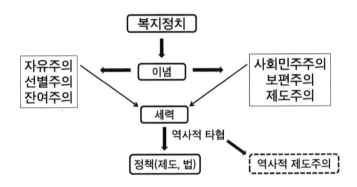

NOTE 정책에 대한 이해

- 이념은 제도(법, 정책)의 설계도면(원형)
- 세력은 이념의 집(제도, 정책, 법)을 짓는 건축가
- 관계론적 관점
: 정책과 제도는 그 이면의 이념과 권력관계 속에서 이해
: 정책과 제도를 알기 위해 이념, 세력, 정치적 맥락을 이해
: 정치적 맥락을 알기 위해 정책과 제도를 이해

KEY 01 역사적 제도주의

1. 역사적 제도주의의 시각
① 제도는 행위자들 간의 활동 결과를 반영
- 제도는 사회적, 정치적 행동의 흔적
- 제도는 세력과 역사적 타협 및 협력적 실천 이해의 열쇠
- 제도와 정치는 밀접한 관계에 있음
② 제도는 정치를 형성함
- 제도는 정치세력과 관계를 통제
- 제도는 사회적 가치 확립, 권력과 영향력 분배 등에 개입

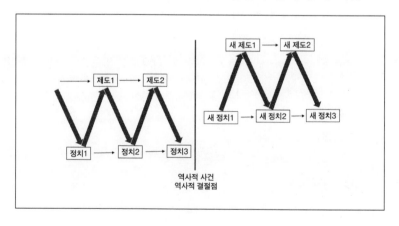

- 역사적 사건(서로 다른 제도와 권력관계의 경계선인 역사적 결절점)을 통해 세력관계의 변화가 발생하고 이 세력은 기존의 제도를 폐기하고 새로운 제도를 만들어 냄
- 제도와 정치는 서로를 속박하며 변해감
- 역사적 사건의 이면에는 언제나 권력관계가 녹아져 있음

C KEY 02 정책평론

1. 정책평론

① 평론(비판, 비평)

• 세상을 비판적 시각으로 이해 및 해석하는 것이자 실천하는 것을 의미함

: 만물에 대한 의심에서 출발

: 의심의 지향점은 사물이 아니라 관계 속에 존재하는 인간

: 사물화된 주체의 생명화 작업

: 현실을 드러내고 의미부여(현실에 대한 비판)

: 평론가는 사회와 권력의 매개자

• 평론은 하나의 주체에서 다주체, 하나의 진리에서 다진리, 소유된 권력에서 관계의 권력과 상호주관성으로 논쟁을 유발하여 공론화 하려는 시도

• 평론의 한계

: 평론은 혼자 하는 것

: 따라서 더불어 하는 토론으로 확장

② 정책평론

• 단순한 제도에 대한 설명이 아니라 제도 이면의 의도, 이념, 권력관계, 제도의 효과 등을 파악해야 함

제솝(B. Jessop)의 구조와 전략의 변증법

▪ 법의 형성과 집행과정 - 전략적 선택성
: 정부와 사회 주체들이 자신들의 의도와 이해관계를 관철시키기 위해 전략적 목표, 협상과 물리적 압력의 전술 등을 선택하여 참여
: 전략과 전술 선택은 당시의 구조적 조건(경제적 구조, 정치 및 사회적 구조)으로 제한됨
: 구조적 조건은 정치 주체에게 상이한 형태로 작용
: 전략적 선택은 한 쪽에 유리하고 다른 쪽은 불리하게 작용
▪ 정치 주체가 선택한 전략은 구조가 내재된 전략

QUIZ **20** 정책에 대한 이해와 가장 거리가 먼 것은?

① 정책은 그 이면의 이념과 권력관계 속에서 이해해야 한다.
② 이념은 제도의 설계도이고 세력은 이념의 집을 짓는 건축가라고 볼 수 있다.
③ 정책은 이념, 세력(권력)과의 관계론적 관점에서 이해해야한다.
④ 정책을 알기 위해 이념, 세력, 정치적 맥락을 이해하지만 정치적 맥락을 알기 위해 정책을 이해할 필요는 없다.

KEY 03 역사적으로 형성된 빈곤에 대한 관점들

1. 중세 봉건주의

① 가난은 운명

- 기독교 공동체주의, 봉건적 온정주의
- 시장과 국가의 부재, 이익 개념 부재
- 가난의 원인은 운명(신의 뜻)

: 가난한 자는 구제의 대상

- 사회복지는 봉건영주와 수도원의 시혜

2. 자본주의 형성기(산업혁명기)

① 가난은 죄악

- 자유주의, 자유방임주의
- 시장은 진보의 상징, 이익과 경쟁, 최소국가
- 가난의 원인은 게으름과 부도덕

: 자선, 자립, 근면을 강조

- 국가의 소극적 개입, 신구빈법, 시혜, 스티그마

3. 자본주의 성숙기(제2차 세계 대전 이후)

① 가난은 나라의 책임

- 사회민주주의, 진보주의
- 시장실패, 연대와 협동, 복지국가의 개입
- 가난의 원인은 환경과 구조
- 국가의 적극적 개입, 사회적 조합주의(거버넌스), 권리

빈곤

- 빈곤이란?
: 생존을 위해 필요한 최소한의 기본적 욕구가 미충족된 상태
- 빈곤의 분류

절대적 빈곤	• 인간의 생존과 기본욕구 미충족 • 빈곤선 이하의 상태 • 생물학적 빈곤
상대적 빈곤	• 사회의 평균 또는 일정 생활수준과 비교할 때 상대적으로 적게 가지고 있는 상태 • 상대적 박탈감 • 불평등의 관점과 관련
공식적 빈곤	• 정부가 공식적으로 인정한 빈곤선 이하 상태를 의미

- 빈곤의 현실
: 미국 인구 13%가 절대 빈곤선 이하
: 일부 선진국에서도 절대적 빈곤은 문제로 대두
: 세계적으로 절대적 빈곤 심화
: 상대적 빈곤의 증가 → 서유럽은 절대적 빈곤이 어느 정도 해결되었으나 상대적 빈곤 문제에 직면
- 빈곤의 함정(poverty trap)
: 복지에 의존 및 안주하여 빈곤을 유지하려는 현상

문제풀이 연습

01 아래 그림에 대해 옳은 설명으로만 묶인 것은?

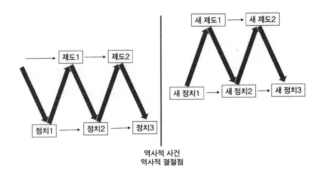

역사적 사건
역사적 결절점

> ㉠ 일단 만들어진 제도는 영원히 반복됨을 보여준다.
> ㉡ 역사적 제도주의를 설명해 주고 있다.
> ㉢ 탈상품화를 설명해 주고 있다.
> ㉣ 제도는 역사적 사건과 역사와 연관성이 있지만 정치와
> 는 관련이 없음을 말해주고 있다.
> ㉤ 제도는 정치적 관계의 산물임을 보여준다.
> ㉥ 한번 만들어진 제도는 정치를 규정함을 보여준다.

① ㉡, ㉤, ㉥   ② ㉡, ㉢   ③ ㉠, ㉡, ㉤   ④ ㉢, ㉣

02 다음 중 정책평론의 태도와 관련성이 적은 것은?

① 평론은 토론을 통하여 더욱 심화될 수 있다.
② 정책과 제도의 이면을 봐야 한다.
③ 평론을 통해 나와 공동체에 대해 깊게 이해할 수 있다.
④ 정책을 이해하기 위해 중립적이고 객관적 접근이 필요하므로 현실의 세력관계와는 상관없이 접근해야 한다.

03 빈곤에 대한 다음 설명 중 옳은 것은?

① 자유주의는 빈곤의 원인이 사회에 있다고 본다.
② 가난은 나라도 구하지 못한다는 관점은 신자유주의와 깊게 연관되어져 있다.
③ 가난을 죄악으로 여기는 것은 사회민주주의 복지국가에서 나타날 가능성이 크다.
④ 상대적 빈곤은 복지국가 출현 이후 완전히 사라졌다.

04 다음 중 빈곤을 개인과 가정의 책임으로 보는 관점과 가장 관련된 것은?

① 사회민주주의　　　　　② 시장실패 인정
③ 기회의 평등 선호　　　　④ 연대와 협동 가치 선호

05 다음 중에서 빈곤의 일차적 원인을 국가와 사회적 책임으로 보는 관점과 관련된 것은?

① 자유주의 이념과 깊게 관련되어져 있다.
② 정부실패는 인정하지만 시장의 실패는 인정하지 않는다.
③ 최소국가를 지향하며 국가의 소극적 개입을 지지한다.
④ 경쟁보다는 연대와 협동의 가치를 더 선호한다.

06 다음 중 빈곤에 대한 서술 중 틀린 것은?

① 빈곤을 죄악으로 보는 경향은 복지국가에서 나타난다.
② 가난을 죄악으로 보는 시각은 자유주의 이념을 추구하는 국가에서 강하게 나타난다.
③ 중세의 봉건제 시기에는 가난을 운명으로 여겼다.
④ 가난의 책임을 개인에게 있다고 보는 시각을 가진 사람은 잔여적 복지를 지지할 가능성이 크다.

07 빈곤에 대한 선별주의 관점으로 옳은 것은?

① 빈곤은 연대와 협동 정신의 결여 때문이다.
② 빈곤은 개인과 가족의 책임이다.
③ 빈곤은 주로 정부에게 책임이 있다.
④ 빈곤이 발생한 주요 원인은 저임금정책과 관련된다.

08 | 다음 중 빈곤에 대한 설명 중 옳은 것은?

① 빈곤을 바라보는 관점은 어떤 시기에서나 유사했다.
② 봉건제는 가난을 운명으로 인식하는 경향이 강했다.
③ 가난의 책임을 나라에 있다고 보는 관점은 선별주의 복지와 깊게 관련된다.
④ 제2차 세계 대전 이후 서유럽 복지국가에서는 가난을 죄악으로 인식하였다.

09 | 빈곤에 대한 다음 설명 중 옳은 것은?

① 가난의 책임이 국가에 있다고 보는 생각은 보편적 복지국가에서 강하게 나타난다.
② 잔여적 복지를 지지하는 입장은 가난을 나라가 책임져야 한다는 생각과 관련되어 있다.
③ 빈곤을 운명으로 보는 경향은 진보주의자들에게서 강하게 나타난다.
④ 복지국가 등장과 함께 상대적 빈곤의 문제는 해결되었다.

10 | 빈곤에 대한 사회민주주의 입장과 관련된 것은?

① 가난은 게으름 때문이다.　　② 가난은 죄악이다.
③ 가난은 나라의 책임이다.　　④ 가난은 운명이다.

11 빈곤에 대한 다음 서술 중 틀린 것은?

① 사회민주주의 이념에서는 가난을 국가의 책임으로 보는 생각이 강하게 자리잡고 있다.

② 자유주의 이념에서는 가난을 죄악으로 보는 생각이 강하게 자리잡고 있다.

③ 가난에 대한 나라의 책임을 강조하는 입장은 제도적 복지(보편적 복지)와 깊게 연관되어져 있다.

④ 진보주의자들은 빈곤을 개인의 운명 탓으로 본다.

12 최저생활을 유지할 수 없는 수준을 기준으로 언급하는 빈곤의 개념은?

① 절대적 빈곤   ② 상대적 빈곤

③ 주관적 빈곤   ④ 빈곤문화

13 빈곤에 대한 다음 설명 중 옳은 것은?

① 오늘날 절대적 빈곤은 물론 상대적 빈곤도 모두 사라졌다.

② 사회민주주의는 빈곤에 대한 공적 책임을 자유주의보다 더 강조한다.

③ 가난의 책임을 나태와 부도덕으로 보는 관점은 빈곤의 책임이 국가와 사회에 있다고 보는 경향이 강하다.

④ 빈곤현상은 개인의 노력만으로 충분히 해결할 수 있다.

○14 빈곤과 가난에 대한 다음 설명으로 틀린 것은?

① 가난을 나라가 책임져야 한다는 관점은 사회민주주의의 철학과 상당히 가깝다고 볼 수 있다.

② 상대적 빈곤은 복지국가 등장 이후에도 여전히 존재하고 있다.

③ 자유주의는 가난과 빈곤의 원인을 주로 개인에게 있다고 본다.

④ 가난을 나라가 책임져야 한다는 관점은 중세의 봉건제시기부터 존재했었다.

○15 사회의 불평등과 관련있는 빈곤의 개념은?

① 절대적 빈곤   ② 공식적 빈곤
③ 주관적 빈곤   ④ 상대적 빈곤

○16 제솝(B. Jessop)의 전략적 선택성 개념과 관련한 설명 중 틀린 것은?

① 국가의 제도는 모든 주체들에게 유리하게 작용하도록 구조화되어 있다.

② 전략선택은 정치과정을 둘러싼 구조적 조건으로 제한된다.

③ 구조적 조건은 정치 주체에게 상이하게 작용한다.

④ 주체가 선택한 전략은 구조가 내재된 전략이다.

13강 빈곤과 법 그리고 보고서

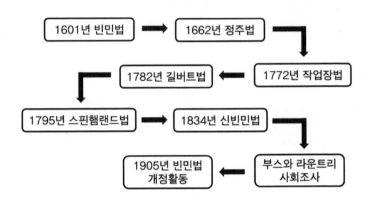

NOTE   1601년 엘리자베스 1세의 빈민법(구빈법)

- 빈곤의 책임이 국가에 있음을 인정한 최초의 법
- 노동능력 유무에 따라 빈민을 구별하여 구제(원내 구호)
: 구빈행정의 기본단위인 교구에서 일자리 공급
- 빈곤의 원인과 책임을 개인에게 있다고 봄
- 『인구론』저자 맬서스의 빈민법 폐지 주장
: 빈민법에 의한 구제가 인구를 증가시켜 빈민들의 생활수준
은 낮아질 뿐 아니라 빈민의 수도 증가할 것임

CKEY 01 1834년 신빈민법 이전의 법

1. 정주법과 작업장법, 길버트법
① 1662년 정주법
- 빈민의 자유로운 이동을 금지(이동금지법, 거주지제한법)
- 농촌의 노동력 이동을 막기 위해 제정
② 1772년 작업장법
- 작업장에서 노동 능력이 있는 빈민을 고용
- 원내구제(시설 내 구제)의 성격
③ 1782년 길버트법
- 노동 능력 있는 빈민에게 일자리와 구제 제공
- 노동 능력 없는 빈민에게 현금 급여 제공
- 자신의 집에서 거주하면서 구호 받을 수 있음(원외구호)

2. 1795년 스핀햄랜드법(Speenhamland Act)
① 노동자들에게 표준임금 미달부분만큼을 보조해 주는 최저 생활비 보장의 성격
- 빵 가격과 부양가족의 수에 대응하여 임금을 보조
② 스핀햄랜드법의 결과
- 빈민의 독립심과 노동 동기를 저하시킴, 임금 수준 저하
- 생활이 곤란한 노동자들에게 임금개선 및 생활개선에 큰 도움을 주지 못한 채 구빈비의 지출을 급증시켜서 억압적 정책으로 회귀 → 1834년 개정구빈법(신빈민법, 신구빈법) 제정에 결정적 영향을 줌

KEY 02 1834년 신빈민법

1. 신빈민법의 성격과 결과
① 인도주의적 경향이 사라진 억압적 제도
- 빈민법보다 빈곤층에게 더 엄격함
- 빈곤의 원인은 개인에게 있다고 보며 자조정신 강조
② 열등처우의 원칙
- 작업장에서의 구제는 국가의 구제 없이 살아가는 최하 수준의 노동자보다 열등해야 함
③ 원외구호금지의 원칙
- 작업장으로 들어온 빈민에 한하여 구호를 함
- 작업장은 강제노역장에 가까움
: 제복 착용, 열악한 식사, 대화 금지, 선거권 박탈 등
④ 가혹한 작업장으로 인해 빈민들이 들어오지 않음에 따라 복지재원이 감소함

QUIZ 21 영국의 신민민법(신구빈법)에 대한 것으로 가장 옳은 것은?
① 원내구호의 금지 원칙
② 빈곤층을 가혹하게 다룸
③ 열등처우의 원칙에 의해 빈민들의 삶의 질 향상
④ 신빈민법 시행 결과 복지재원의 획기적 증가

KEY 03 부스와 라운트리의 사회조사

1. 찰스 부스(C. Booth)의 사회조사

① 사회조사 동기

• 사회민주연맹의 사무총장 하인드먼

: 런던 인구의 약 25%가 빈곤상태에 있다고 주장

: 부스는 이 주장이 과장되었다고 생각하고 이를 검증하기 위해 빈곤조사 실시

② 사회조사의 결과(1889~1903년)

• 런던 인구의 30.7%가 빈곤층

• 빈곤의 원인이 개인의 도덕적 타락 때문이 아니라 저임금과 부정기적 소득 등의 사회구조의 문제임을 밝혀냄

• 소수파 보고서에 영향을 미침

2. 시봄 라운트리(S. Rown-tree)의 사회조사

① 사회조사의 내용과 결과

• 영국 지방 소도시 요크시 주민의 27.84%가 빈곤상태

• 빈곤의 원인은 개인의 결함이 아니라 사회구조에 있음

KEY 04 1905년 빈민법 개정활동

1. 1905년 왕립빈민법위원회 구성
① 신빈민법 검토
• 다수파 보고서와 소수파 보고서 제출
: 1909년 다수파 보고서 채택

2. 다수파 보고서와 소수파 보고서
① 다수파 보고서
• 14명의 자선조직협회와 구빈국 위원
• 빈곤은 개인 책임
• 빈곤층에 엄격한 규율 적용(가혹한 조치 필요)
: 신빈민법의 열등처우의 원칙, 원외구호금지의 원칙 적용
② 소수파 보고서
• 4명의 페이비언주의자
• 빈곤은 사회의 책임(공공지출 불가피)
• 신빈민법의 완전한 폐지를 주장
• 1940년대 후반 복지국가 입법 마련과정에서 참조
• 비어트리스 웹(B. Webb)
: 소수파 4명 중 대표적 인물로 상층계급 출신
: 찰스 부스 사회조사에 조사원으로 참여

베버리지 보고서

- 베버리지(W. H. Beveridge)
: 경제학자, 비어트리스 웹의 조사원으로 일함
: 영국 복지의 기틀 확립
- 1942년 베버리지 보고서(사회보험과 관련 사업)
: 소수파 보고서를 기초로 함
: 노동당의 요람에서 무덤까지의 사회보장(보편적 복지) 실시
: 처칠의 보수당 총선 패배, 사회보장청 설치, 빈민법 폐지
: 결핍, 질병, 무지, 불결, 나태의 5대 사회악 극복

QUIZ **22** 다수파 보고서에 대한 설명으로 틀린 것은?

① 다수파는 열등처우의 원칙을 지지했다.
② 다수파는 14명의 페이비언주의자들이었다.
③ 다수파는 구빈제도를 존속해야 한다고 보았다.
④ 다수파는 빈곤의 원인을 개인의 책임으로 보았다.

QUIZ **23** 비어트리스 웹(B. Webb)에 대한 서술 중 틀린
것은?

① 4명의 소수파에 속한 인물
② 찰스 부스의 사회조사 때 조사원으로 참여
③ 상층계급 출신
④ 신빈민법의 지속적 유지를 주장

문제풀이 연습

01 영국에서 1601년 제정된 엘리자베스 빈민법(poor law)에 대한 설명으로 옳은 것은?

① 작업장보다는 인근의 작업장에 취업하도록 알선하는 원외구호를 장려하였다.

② 열등처우의 원칙에 의해 급여를 지급하였다.

③ 빈민의 자유로운 이동을 금지하였다.

④ 빈민구제를 정부의 책임으로 인식하였다.

02 상이한 견해가 상이한 결과로 귀결될 수 있음을 보여준 '다수파와 소수파 보고서'에 대해 틀린 설명은?

① 왕립위원회 조사위원 중 자선조직협회와 구빈국 위원들은 빈곤은 개인의 책임이므로 신빈민법 유지를 주장했다.

② 페이비언주의자들은 빈곤의 책임은 사회적인 것에 있고 따라서 신빈민법은 폐지되어야 한다고 보았다.

③ 다수파는 빈민의 자활의지를 불신했고 빈민에게 관대한 동정보다는 가혹한 조치가 필요하다고 생각했다.

④ 소수파는 빈곤해결을 위한 공공지출은 불가피하며 현행 구빈제도의 개혁을 통한 유지와 존속을 주장했다.

03 다음 중 신빈민법(신구빈법)과 연관성이 가장 큰 것만 모아 놓은 것은?

㉠ 열등처우의 원칙	㉡ 소수파 보고서
㉢ 다수파 보고서	㉣ 베버리지 보고서
㉤ 원외구호금지의 원칙	㉥ 페이비언 소사이어티

① ㉠, ㉢, ㉤　　　　　　② ㉡, ㉣, ㉥

③ ㉠, ㉡, ㉤　　　　　　④ ㉢, ㉣, ㉥

04 왕립빈민법위원회에 제출된 소수파 보고서에서 빈민법의 완전한 폐기를 주장한 이유는?

① 빈곤은 개인의 문제가 아니라 불합리한 구조의 결과다.

② 빈곤의 해결을 위한 공공지출이 너무 많다.

③ 빈민에게서 자활의지를 찾아보기 어렵다.

④ 빈민에게는 관대한 동정보다 가혹한 조치가 필요하다.

05 빈곤을 개인의 문제가 아니라 불합리한 사회질서의 결과로 보는 입장에서 주장한 것은?

① 현행 구제제도의 유지　　② 빈민법의 완전한 폐지

③ 빈곤가족의 시설 유치　　④ 빈곤층 지원시설의 독립

06 | 스핀햄랜드법에 대한 설명으로 옳은 것은?

① 노동자의 최저생활을 보장하기에 부족한 임금(소득)을 보조해 주는 제도이다.

② 빈민의 독립심과 노동의 동기를 크게 향상시켰다.

③ 노동자들의 임금수준이 높아졌다.

④ 구빈비의 지출비용을 축소함으로써 1834년 신빈민법 제정에 결정적인 영향을 미쳤다.

07 | 영국의 신빈민법에 대한 설명 중 옳은 것은?

① 빈곤층을 매우 관대하게 다루는 법이었다.

② 신빈민법 시행으로 빈곤층은 급격하게 감소했다.

③ 가혹한 작업장 생활을 피하기 위해 빈민들이 작업장으로 들어오지 않게 되어 복지재원은 줄어들었다.

④ 원외구호 원칙을 담고 있다.

08 | 다수파와 소수파 보고서에 대해 적절한 설명은?

① 다수파는 14명의 페이비언주의자들이었다.

② 소수파는 '열등처우의 원칙'을 지지했다.

③ 페이비언주의자들은 빈곤의 책임은 사회적인 것에 있기 때문에 신빈민법은 폐지되어야 한다고 보았다.

④ 소수파는 현행 구빈제도를 존속해야 한다고 보았다.

09 영국의 신빈민법에 대한 설명으로 가장 옳은 것은?

① 빈곤에 대한 구조적 문제에 관심을 갖고 사회적 책임을 강조했다.

② 사회민주주의 영향을 받아서 잔여적 복지보다는 제도적 복지에 근접한 법이다.

③ 열등처우의 원칙과 원외구호금지의 원칙을 담고 있다.

④ 최저생활의 보장을 통해 빈곤이 사라졌다.

10 영국의 신빈민법과 가장 거리가 먼 것은?

① 자립과 자조를 강조

② 최저생활보장을 강조

③ 구조보다는 개인적 빈곤의 원인과 책임을 강조

④ 열등처우의 원칙을 강조

11 신빈민법(신구빈법)에 대한 설명 중 옳은 것은?

① 원외구호를 금지하고 있다.

② 신빈민법 시행으로 복지재원은 크게 증가하였다.

③ 신빈민법 제정자들은 빈곤의 근본적 원인이 개인의 나태함보다는 저임금에 있다고 보았다.

④ 열등처우금지의 원칙으로 인해 빈민들의 삶이 그 이전보다더 힘들어졌다.

12 | 영국의 베버리지 보고서 내용과 거리가 먼 것은?

① 빈곤계층을 대상으로 하는 선별적 복지를 강조한다.
② 소수파 보고서의 이상을 담고 있다.
③ 베버리지는 결핍(궁핍), 질병, 무지, 불결, 나태를 5대 악으로 규정한다.
④ 보편적 복지와 깊은 관련이 있다.

13 | 다음 중 신빈민법과 가장 연관성이 적은 것은?

① 열등처우의 원칙   ② 원외구호금지의 원칙
③ 자선조직협회   ④ 소수파보고서

14 | 찰스 부스와 시봄 라운트리의 사회조사에 대한 다음의 설명으로 옳지 않은 것은?

① 부스는 런던 인구의 30% 이상이 빈곤층임을 밝혀냈다.
② 라운트리는 요크지역의 27% 이상이 빈곤층임을 밝혀냈다.
③ 부스는 빈곤층에 대한 사회민주연맹의 자료를 신뢰하여 이를 실증적으로 검증하고자 하였다.
④ 부스와 라운트리는 빈곤의 주요한 원인이 저소득과 실업 등임을 밝혀냈다.

14강 사회복지와 세력, 노동조합

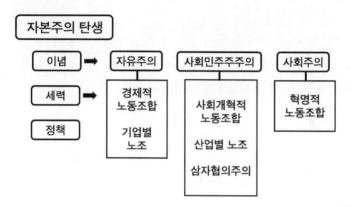

NOTE   노동조합

- 노동조합은 복지를 위한 분배의 정치에서 핵심적 세력
- 권력자원이론
: 노동계급의 조직적 힘이 클수록 복지국가는 더욱 강해짐
: 복지국가를 만드는 정치는 계급정치
: 계급정치의 핵심은 조직된 노동(조직된 시민)
- 복지국가의 정치형태
: 노동조합(조직된 노동) + 진보정당 + 자본과 국가
: 노사정 삼자협의주의, 사회적 조합주의, 사회적 코포라티즘

C KEY 01 노동조합의 목표와 기능

1. 노동조합의 목표
① 산업조직으로서의 목표
• 단체교섭과 공동규제
: 노동조건 개선, 산업민주주의 실현(작업장 의사결정 참여)
② 사회정치적 조직으로서의 목표
• 사회개혁(시민권적 권리 획득)
• 사회변혁(노동계급의 계급적이고 정치적 운동)

2. 노동조합의 목표 지향 및 기능
① 경제적 실리 지향
• 노동조건 개선(임금 인상 등)
② 산업민주주의 지향
• 산업민주주의 실현(경영참가 등)
③ 사회적 연대 지향
• 노동자들의 사회적 지위 향상을 위한 법과 제도의 개선
④ 정치적 계급 지향
• 노동계급의 단결과 정치세력화

CKEY 02 상이한 노동운동의 이념

1. 자유주의 이념
① 경제적(실리적) 노동조합주의
- 기업조직의 신고전주의 관점
: 작업장 조합원의 경제적 문제에 초점
: 기업 노동조합주의, 다원주의, 실리주의
: 노동의 적은 고용주가 아니라 시장의 공격
- 노동조합의 단체교섭 기능 중시
: 노동조건 개선, 작업장 공동규제
: 임금단체협약과 법 개정에 집중
- 노사 간의 협조 강조

2. 사회주의 이념
① 혁명적(변혁적) 노동조합주의
- 노동조합은 계급의식의 산물이자 혁명의 학교
- 노사대립, 노동자들의 의식화 강조

3. 사회민주주의 이념
① 사회개혁적 노동조합주의(사회적 조합주의)
- 경제와 사회의 사회민주적 개혁 추구
- 노사 간의 갈등과 타협, 거시적 사회정책
- 노동조건의 인간화, 생활임금 제공

⟨KEY₀₃ 노동조합의 조직형태

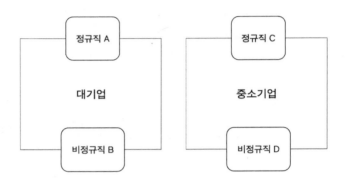

1. 산업별 노조
① 노동자 A, B, C, D가 하나의 노조에 가입
• 서유럽 복지국가 대부분은 산업별 노조를 배경으로 함
• 사회적 조합주의(삼자협의주의)
: 노조, 기업, 정부의 타협과 협의시스템
• 비정규직 D도 연대임금제도에 의해 동일노동 동일임금을
받을 수 있음

2. 기업별 노조
① 기업의 노동자들이 하나의 단위노조로 조직
• 노동자 일반보다는 해당 기업 조합원들의 이익을 반영
• 노동자들의 정체성 높음
• 노동자들의 힘이 흩어질 가능성이 큼

인간의 얼굴을 한 자본주의(보편적 복지국가)

- 고전적 자본주의를 수정하려는 노력의 결과물
- 노동자들의 조직화와 투쟁이 있었기에 가능
- 시장임금과 사회적 임금을 보장
: 노동조합과 시민의 지지를 받는 정당이 소득이전 정책을 작동시켜 사회적 임금을 높임
: 노조가 주도하고 이를 시민사회가 지지하여 노동3권을 통한 협상력에 의해 시장임금이 높아짐

QUIZ **24** 사회민주주의 노동이념과 가장 가까운 것은?

① 다원주의적 노동조합주의
② 노동조합은 계급의식의 산물
③ 노동조합의 가장 주된 활동은 단체교섭
④ 노사 간의 갈등과 타협

○ 01 ┃ 노동운동 이념 중 자유주의 이념과 가장 거리가 먼 것은?

① 노사 간의 협조를 강조
② 노동조합은 혁명의 학교
③ 임금단체협약과 법 개정에 집중
④ 다원주의적 노동조합주의

○ 02 ┃ 복지국가와 노동조합에 대한 다음 서술 중 사실과 가장 거리가 먼 것은?

① 산업별 노조는 노동자들의 정체성이 높지만 노동자들의 힘이 흩어질 가능성이 크다.
② 인간의 얼굴을 한 보편적 복지국가에서는 시장임금과 사회임금을 보장해 준다.
③ 복지국가에서 시장임금의 보장은 노동3권을 통해 협상력을 가지게 됨에 따라 가능하다.
④ 복지국가에서 사회임금의 보장은 노조가 지지하는 정당이 소득이전 정책을 관철함에 따라 가능하다.

03 | 노동조합의 목표 지향으로 잘못 짝지어진 것은?

① 경제적 실리 지향 - 임금 인상 등의 노동조건 개선
② 산업민주주의 지향 - 경영참가
③ 사회적 연대 지향 - 노동자의 정치세력화
④ 정치적 계급 지향 - 노동계급의 단결

04 | 노조의 조직형태에 대한 서술 중 틀린 것은?

① 노동자 A, B, C, D가 하나의 노조로 가입하는 것이 산업별 노조형태이다.
② 대기업에 근무하는 정규직 A는 산업별 노조에 대하여 관료주의적 성향이 크다고 여겨서 항상 반대하는 경향이 있다.
③ 중소기업에 근무하는 비정규직 노동자 D도 산업별 노조에 가입함에 따라 동일노동 동일임금을 받을 수 있다.
④ 모든 노동자들이 하나의 노조로 단결할 때 삼자협의주의의 가능성이 높아진다.

05 아래 그림을 참고하여 노동조합의 조직형태에 대해 설명한 것 중 가장 옳은 것은?

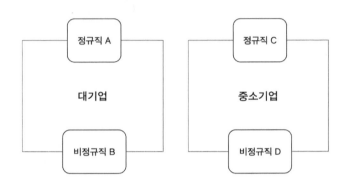

① 기업별 노조일 때 비정규직 노동자 D는 동일노동 동일임금을 받을 가능성이 매우 높다.

② 모든 노동자들이 기업별 노조로 단결할 때 삼자협의주의의 가능성이 높아진다.

③ 중소기업에 근무하는 비정규직 노동자 D는 연대임금제도를 통해서 동일노동 동일임금을 받을 수 있다.

④ 중소기업에 근무하는 비정규직 노동자 D는 노동조합의 조직형태와 무관하게 항상 근로빈곤층(working poor)이 된다.

06 복지국가의 제도를 만드는 가장 핵심적 주체는?

① 조직된 자본가   ② 국가

③ 조직된 노동   ④ 진보적 관료

○ 07 | 복지국가와 노동조합에 대한 다음 서술 중 사실과 거리가 가장 먼 것은?

① 노동계급의 힘이 클수록 복지국가의 확대가 이루어질 가능성이 높다.

② 복지국가는 조직된 노동(조직된 시민)의 역할이 결정적이라고 할 수 있다.

③ 복지국가의 정치형태는 삼자협의주의(사회적 조합주의)가 될 가능성이 높다.

④ 인간의 얼굴을 한 보편적 복기국가에서는 시장임금을 보장해 주지는 않지만 사회임금은 보장해 준다.

○ 08 | 인간의 얼굴을 한 자본주의(보편적 복지국가)와 가장 거리가 먼 것은?

① 고전적 자본주의를 수정하려는 노력의 결과물인 인간의 얼굴을 한 자본주의에서는 소득이전의 정치가 작동한다.

② 자본 독점에 따른 위기 상황에서 자본이 자발적으로 시민과 노동자들에게 양보한 결과로 탄생하게 되었다.

③ 노동조합과 일반 시민의 전폭적 지지를 받는 정당이 소득이전 정책을 통해 사회적 임금을 높인다.

④ 노동조합이 주도하고 시민사회가 지지하여 노동3권을 통한 협상력을 가짐으로써 시장임금이 높아진다.

15강 복지국가와 조직노동

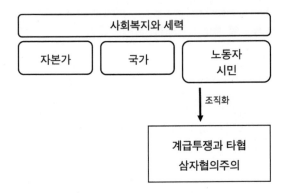

NOTE 사회복지와 노동운동의 만남

- 사회복지와 노동운동의 만남을 통해 복지국가 탄생
: 이 만남의 결과물이 시민권
- 마샬은 시민권을 자유권, 정치권, 사회권으로 구분
- 기든스의 시민권 획득을 위한 계급투쟁
: 봉건특권 vs. 부르주아지 → 부르주아지 vs. 노동계급
- 시민권 중의 가장 핵심인 노동의 시민권
: 단결권, 참정권, 복지권
: 시혜적 수준의 노동자만의 사회복지에 머물 수 있음
: 노동운동의 이익집단화 방지를 위해 다른 사회운동과의 연대를 모색해야 함

KEY 01 스웨덴의 렌-마이드너 모델

1. 스웨덴의 노사 간 타협

① 1936년 보편적 복지를 추구한 사민당 승리

• 1938년 살트셰바덴 협약

: 전국노동조합총연맹과 스웨덴 사용자 연합 간의 협약

: 산업평화에 합의, 모든 현안을 교섭으로 해결

: 국가 개입을 피하며 교섭과 이행을 강제하는 기틀 마련

: 파업 일수의 극적인 감소

: 노사안정과 고도성장의 기틀 마련

: 중앙집권적인 교섭 모델

② 렌-마이드너 모델(Rehn-Meidner Model)

• 1940년대 말 인플레이션(임금과 물가 상승)이 발생하여 이를 해결하기 위한 연대임금제도 실행

• 동일노동 동일임금

: 대기업 노동자 연봉은 감소하여 대기업의 이윤은 증가

: 중소기업 노동자 임금은 인상되어 중소기업 이윤은 감소

: 대기업 비정규직, 중소기업 정규직과 비정규직 임금 인상

: 노조의 힘이 강해짐

: 동일임금을 주기 위해 중소기업은 혁신과 개발 노력 지속

: 정부는 사회적 통합이라는 이익을 얻게 됨

KEY 02 노동조합과 정당정치

1. 스웨덴의 노동조합과 정당
① 사회민주당(사민당)과 노동조합의 긴밀한 연결
• 노동조직이 모여 사민당 결성
: 사민당은 노동조직을 기반으로 성장
: 노동조직은 사민당을 파트너로 삼아 활동
• 노동조합과 정당은 서로에게 영향을 주며 정치를 만들어 감

2. 미국의 노동조합과 정당
① 고전적 자유주의를 기반으로 하는 노동조합
• 정치와는 거리를 둔 채 이익집단으로서 실리를 추구
: 노동조합은 계급의식보다는 직업의식과 실리주의에 기반
• 유럽에 비해 분권화된 단체교섭
: 산업 전체나 국가 전체가 아닌 지역 단위 노조를 중심으로
단체교섭

3. 영국의 노동조합과 정당
① 영국은 권력관계의 변형을 보여 줌
• 노동조합이 노동당 창당
: 노동조합이 노동당을 통제, 노동자주의를 관철시켜 나감
• 대처 정부 이후 노동조합은 쇠퇴
• 새로운 길을 모색하는 중

KEY 03 복지국가와 조직된 노동과 시민

1. 스웨덴의 학습동아리
① 평생교육이 이루어지는 공간
- 3인 이상이 모여 정기적으로 토론하는 모임
- 정부의 적극적 재정지원
- 사민당의 장기집권으로 복지국가를 이루는 모태가 됨
- 조직된 시민들을 배출
: 지역사회나 조직에 민주적으로 참여, 지역 지도자 배출
: 정치 사안에 대해 적극적으로 임하게 됨
- 학습동아리에 적극적인 노동조합
: 노동자교육협회 창립으로 노조원들의 학습과 독서를 주도
: 시민교육의 성격

2. 미국의 시민들
① 자유주의와 반공주의에 기반
- 상품화 정치에 익숙함
: 계급의식과 연대의식 결여, 지배계급이라는 단어 금기시
: 노동계급이라는 단어에 낙인을 찍음
: 복지혜택은 구걸로 인식
: 공식적 소득재분배보다 민간의 자선활동 선호

복지축소와 저항의 정치

- 복지국가 팽창 및 형성의 정치
: 노동의 역할에 초점을 둔 계급모델에 기반을 둔 권력자원설로 설명 가능
- 복지축소의 정치
: 노동과 다양한 이해관계자 집단들 고려
: 유권자들의 복지에 대한 압력에 의한 사회복지프로그램의 생존과 복지제도의 큰 틀 유지
: ex) 국민보건서비스(NHS)
- 조직된 노동
: 복지국가 형성의 주역
: 복지국가 축소에 대한 저항의 정치에서도 중요한 역할 담당
- 진보정당의 집권
: 조직된 노동과 조직된 시민의 지지로 가능
: 복지국가 형성의 정치와 복지국가 축소의 저항의 정치에서 조직된 노동과 조직된 시민이 주요 역할을 담당

15강   문제풀이 연습

01 렌-마이드너 모델(연대임금제도, 동일노동 동일임금)에 대한 다음 서술 중 사실과 거리가 가장 먼 것은?

① 대기업은 임금이 하락하여 이득을 보지만 중소기업은 인건비 상승으로 이윤이 감소할 가능성이 높다.

② 중소기업은 시장에서 살아남기 위하여, 즉 동일임금을 주기 위하여 혁신과 개발을 해야 한다.

③ 대기업에 근무하는 비정규직 노동자도 임금 측면에서 이익을 볼 개연성이 높다.

④ 대기업 정규직 노동자들은 임금이 오를 개연성이 높다.

02 노동조합과 복지국가유형과의 관련성에 대한 설명 중 가장 옳은 것은?

① 미국의 노동조합은 정치에 상당히 깊이 관여해 오고 있다.

② 미국의 노동조합 지도자인 새무얼 곰퍼스(S. Gompers)는 국가의 적극적 개입을 강력하게 주장했다.

③ 스웨덴의 노동조합은 사민당의 집권과 복지국가 형성에 적극적으로 관여하여 매우 큰 역할을 했다.

④ 노동조합 조직률은 미국이 스웨덴보다 더 높다.

03 | 연대임금제도에 의해 동일노동 동일임금이 실현되었을 때 각 경제 주체들의 손익계산으로 틀린 것은?

① 중소기업에 다니는 비정규직 노동자들은 임금이 오른다.

② 대기업에 다니는 노동자들의 임금이 오른다.

③ 정부도 사회적 통합 차원에서 이익을 보게 된다.

④ 대기업을 운영하는 사장들은 임금을 더 적게 줄 수 있다.

04 | 복지국가와 시민에 대한 서술 중 틀린 것은?

① 복지국가는 노동자와 시민들의 참여보다는 유능한 정치인의 결단으로 만들어졌다.

② 베버리지 보고서를 읽고 열띤 토론을 벌인 영국의 시민들은 베버리지 보고서 실행에 소극적인 보수당 처질보다는 복지국가 건설에 적극적인 노동당을 선택했다.

③ 스웨덴의 학습동아리는 사민당의 장기집권으로 복지국가를 이루는 모태가 되었다.

④ 1976년 독일의 작은 도시 보이텔스바흐에서는 이념과 정권에 치우치지 않는다는 정치교육(시민교육)의 원칙에 대해 보이텔스바흐 협약이 만들어져서 독일 정치교육의 헌법으로서 기능하고 있으며, 유럽연합 국가들에서 보편적으로 적용되고 있다.

○05 복지국가와 노동조합의 연관성에 대한 다음 서술 중 사실과 가장 가까운 것은?

① 스웨덴의 노동조합은 사민당의 집권과 복지국가 형성에 있어서 매우 소극적 역할에 머물렀다.

② 미국은 보편적 복지국가이므로 노조와 시민사회가 잘 조직되었다.

③ 노동조합 조직률은 스웨덴이 미국보다 더 높다.

④ 미국의 노동조합은 언제나 보편적 복지를 지지했다.

○06 렌-마이드너 모델은 연대임금제도를 실현하여 동일노동 동일임금이 가능하게 만들었다. 이로 인해 경제의 각 주체들의 손익계산에 대한 설명 중 부적절한 것은?

① 정부는 결과적으로 이 제도에 의해 사회적 통합을 이루게 되어 이익을 보게 된다.

② 대기업과 중소기업 모두 비용측면에서 손해가 발생한다.

③ 중소기업 정규직 노동자들은 임금 측면에서 그 이전보다 이익을 볼 개연성이 높아진다.

④ 중소기업 비정규직 노동자들의 임금 수준은 상승한다.

07 | 학습조직의 맥락에서 복지국가를 설명한 것 중 사실과 가장 거리가 먼 것은?

① 스웨덴의 학습동아리는 복지국가 형성과 관련이 깊다.

② 국가의 주도적 이념을 학습함으로써 사회와 국가에 대한 충성심과 애국심을 고취하고자 한다.

③ 자신들의 권리(시민권)에 대한 자각 및 조직화를 통해 이를 적극적으로 요구한다. 즉, 생각의 조직화를 통한 사람의 조직화를 이루어 자신들의 권리를 요구한다.

④ 사회의 지배적인 정치문화에 대해 비판적 숙고와 억압으로부터의 해방을 위한 토론과 대화를 통하여 이를 극복하려 한다.

08 | 노동조합과 정당정치에 대한 다음 설명 중 사실과 가장 거리가 먼 것은?

① 미국의 노동조합은 계급의식과 사회주의를 기반으로 하고 있다.

② 1900년 영국의 노동조합은 노동당을 창설하고 노동자주의를 관철시키고자 노력했다.

③ 미국의 노동조합은 직업의식과 경제적 실리주의, 고전적 자유주의를 기반으로 하고 있다.

④ 스웨덴의 노동조합은 정당과의 상호 영향 아래서 정치를 만들어 나갔다.

09 | 복지국가와 시민에 대한 묘사 중 옳은 것은?

① 미국 사회의 시민들은 상당히 높은 계급적 연대의식을 가지고 있다.

② 신자유주의 이후 영국의 복지국가 쇠퇴가 빠르게 진행되지 않는 것은 정치인들 간의 타협 때문이다.

③ 제2차 세계 대전 중에 베버리지 보고서를 읽고 열띤 토론을 한 영국 시민들은 전후 윈스턴 처칠의 보수당을 선택했다.

④ 학습동아리에서 스웨덴 시민들 간의 토론을 통한 자각이 사민당 정부의 집권에 큰 영향을 주었다.

10 | 복지국가 형성과 시민에 대한 묘사 중 틀린 것은?

① 신자유주의 이후 영국의 복지국가 쇠퇴가 빠르게 진행되지 않는 이유는 노동자와 시민들의 저항 때문이다.

② 제2차 세계 대전 중에 베버리지 보고서를 읽고 열띤 토론을 한 영국 시민들은 전후 노동당을 선택했다.

③ 미국 사회의 시민들은 상당히 낮은 계급적 연대의식을 가지고 있다.

④ 스웨덴의 독재정부가 시민들의 요구를 적극적으로 수용하여 스웨덴을 복지국가를 만들었다.

16강 복지국가 유형론

에스핑-안데르센의 복지국가 유형

자유주의	조합주의	사회민주주의
• 탈상품화 低 • 계층화 高	• 탈상품화 中 • 계층화 中	• 탈상품화 高 • 계층화 低

NOTE 복지국가의 특징

▪ 사회민주주의 복지국가가 가장 성공적

: 강력한 노동조합 → 시민들의 세력화

: 정치참여와 선거권 확대

: 사회민주주의 정당의 탄생과 우파 정당의 약화

: 높은 사회권 보장과 탈상품화

→ 계속적 사회민주주의 정당 집권과 경제성장의 지속

: 시장자유주의에 대항하는 진보적 자유주의 or 사회민주주의

→ 제도주의적 복지 or 보편적 복지의 탄생

KEY 01 복지국가의 초기 유형

1. 윌렌스키와 르보

① 잔여주의적 복지(residual welfare, 선별주의)
- 소득의 원천은 시장, 문제의 원인은 개인과 가족
- 국가의 역할은 취약계층에 대한 원조(정부의 최소 개입)
: 엄격한 자산 조사, 수급자의 스티그마(stigma)
- 기회의 평등, 소극적 자유, 사회적 위험 범위 축소화
- 최저생계비 수준 원조, 자선과 시혜의 차원
- 경쟁과 자조 및 자립 강조
- 이익집단 정치
: 국가의 중립, 노동조합은 이익집단들 중 하나
- 형식적·절차적 민주주의, 법 앞의 평등

② 제도주의적 복지(institutional welfare, 보편주의)
- 소득의 원천은 시장과 국가, 문제의 원인은 구조와 환경
- 시장실패에 따른 정부의 적극적 개입
- 사회복지는 권리(사회권)
- 조건의 평등, 적극적 자유(국가에로의 자유), 소득이전 정책
- 연대와 협동 강조, 스티그마 최소화
- 노동조합은 정치행위의 핵심
- 실질적 민주주의, 사회경제적 민주주의
: 사회적 코포라티즘(사회적 조합주의, 삼자협의주의)
: 거버넌스, 계급 협상과 타협
- 베버리지주의, 페이비언주의

╰KEY 02 다양한 복지국가 유형

1. 티트머스의 복지국가 유형

잔여주의적 유형	• 잔여주의와 유사
산업상 업적과 수행능력 유형	• 사회보험 프로그램 • 직무수행과 생산성에 따른 차등적 복지 제공
제도주의적 재분배 유형	• 제도주의와 유사

2. 조지와 윌딩의 복기국가 유형

반(反)집합주의	• 복지국가를 반대
소극적 집합주의	• 복지국가 개입을 제한적으로 인정 • 시장실패 해결, 정치적 안정
페이비언 사회주의	• 복지국가는 사회주로의 이행 단계 • 복지국가는 자본주의를 변화시킴
마르크스주의	• 복지국가를 매우 비판적으로 이해 • 복지국가는 자본주의를 연장 → 사회주의로의 이행에 걸림돌

3. 미시라의 복기국가 유형

잔여주의	• 보수주의적 유형
제도주의	• 자유주의적·사회민주주의적 유형
사회주의	• 구조적 유형

4. 퍼니스와 틸턴의 복지국가 유형

실증국가	• 경제적 효율성을 중심으로 함
사회보장국가	• 최소 수준의 생활보장
사회복지국가	• 철저한 민주주의와 평등주의

QUIZ **25** 잔여주의에 대한 설명으로 가장 옳은 것은?

① 경쟁보다는 사회적 연대성을 더 선호한다.

② 불평등을 불가피한 것으로 여기고 이것을 극복해 나가도록 가르치는 자유주의 교육을 실시한다.

③ 정부는 사회통합을 이루게 되어 이익을 본다.

④ 국가의 개입에 의한 소득이전 정책을 선호한다.

QUIZ **26** 다음 중 복지국가 유형과 연구자에 대한 연결로 틀린 것은?

① 윌렌스키와 르보는 잔여주의와 제도주의로 구분했다.

② 퍼니스와 틸턴은 실증국가, 사회보장국가, 사회복지국가로 구분했다.

③ 티트머스는 잔여주의, 제도주의, 사회주의로 구분했다.

④ 조지와 윌딩은 반집합주의, 소극적 집합주의, 페이비언 사회주의, 마르크스주의로 구분했다.

⊂KEY 03   에스핑-안데르센의 복지국가 유형

1. 복지국가 유형 구분의 기준
① 탈상품화와 계층화
• 탈상품화는 노동자가 일을 하지 못하는 경우 국가가 제공하는 복지를 통해 생계를 유지하는 정도(실업수당, 연금 등)
• 계층화는 복지혜택이 계층별로 나눠지는 정도(계층화된 사회보험, 공무원연금이 국민연금보다 더 많이 수령)

2. 복지국가의 세 유형과 특징
① 자유주의
• 탈상품화 효과 낮음, 계층화(불평등) 수준 높음
: 소득보호 수준 낮음
: 소득재분배 거의 없어서 불평등 존속
: 사회권 최소화
• 앵글로색슨 모델(미국, 영국, 호주)
② 조합주의
• 탈상품화 효과 중간, 계층화(불평등) 수준 중간
: 시장의 파괴적 힘 억제, 국가는 복지의 주요 제공자
: 소득보호 수준은 높으나 계급 간 소득재분배는 높지 않음
: 위험으로부터 보호 성격
• 대륙 모델(독일, 이탈리아, 프랑스)

③ 사회민주주의

• 탈상품화 효과 높음, 계층화(불평등) 수준 낮음

: 복지는 사회적 권리, 최상의 평등 추구

: 보편적 복지프로그램, 높은 소득재분배

• 노르딕 모델(스웨덴, 핀란드, 덴마크)

QUIZ **27** 에스핑-안데르센(앤더슨)의 복지국가유형에 대한 설명으로 옳지 않은 것은?

① 자유주의 복지국가에서는 계층화 수준이 가장 높다.

② 사회민주주의 복지국가에서는 탈상품화 효과가 가장 낮다.

③ 복지국가 유형화의 기준은 계층화와 탈상품화이다.

④ 자유주의 복지국가에서는 복지의 재분배(소득재분배) 효과가 미약한 편에 속한다.

QUIZ **28** 에스핑-안데르센(앤더슨)의 복지국가유형에 대한 설명으로 옳은 것은?

① 자유주의 복지국가에서는 낙인감(스티그마)을 줄 가능성이 매우 낮다.

② 사회민주주의 복지국가에서는 탈상품화 수준이 가장 높다.

③ 복지국가 유형화의 기준은 계층화와 상품화이다.

④ 사회민주주의 복지국가에서는 자선과 시혜를 강조한다.

16강 | 문제풀이 연습

O01 | 다음 중 잔여주의 복지에 대한 서술 중 옳은 것은?

① 소득이전 정책을 적극적으로 실시한다.

② 자조와 자립보다는 연대와 협동의 가치를 강조한다.

③ 모든 국민들에게 최소한의 생활조건(소득, 안전 등)을 제공하려고 노력한다.

④ 엄격한 자산조사를 통하여 선별한 취약계층을 대상으로 복지혜택을 제공한다.

O02 | 아래의 표에서 ⓑ와 ⓒ에 들어갈 적합한 단어는?

범주	잔여주의 복지	제도주의 복지
기본가치	ⓐ	ⓑ
평등	ⓒ	ⓓ
문제원인	개인과 가족	구조와 환경(국가)
자유	소극적 자유 국가로부터의 자유	적극적 자유 국가에로의 자유

① ⓑ 연대, ⓒ 기회의 평등   ② ⓑ 경쟁, ⓒ 기회의 평등

③ ⓑ 경쟁, ⓒ 조건의 평등   ④ ⓑ 연대, ⓒ 조건의 평등

03 복지국가 유형과 자유 및 평등에 대한 서술 중 옳은 것은?

① 조합주의 복지국가에서는 조건의 평등을 무시하고 시장의 자유를 우선적으로 추구한다.

② 사회민주주의 복지국가에서는 기회의 평등보다는 조건의 평등을 더 우선시 한다.

③ 자유주의 복지국가에서는 국가에로의 자유를 추구하려고 노력한다.

④ 사회민주주의 복지국가에서는 국가로부터의 자유를 추구하려고 노력한다.

04 계층화와 탈상품화를 기준으로 복지국가 유형을 설명한 것 중 가장 적절한 것은?

① 사회민주주의 복지국가 유형은 탈상품화 수준이 낮고 계층화 수준은 높다고 볼 수 있다.

② 사회민주주의 복지국가 유형에서의 계층화는 자유주의 복지국가 유형보다 더 낮다.

③ 조합주의 복지국가 유형에서는 탈상품화와 계층화 수준 모두 자유주의 복지국가 유형보다 낮다.

④ 자유주의 복지국가 유형은 탈상품화 수준과 계층화 수준 모두 높다고 볼 수 있다.

○05 잔여주의와 제도주의에 대한 서술 중 적절하지 않은 것은?

① 제도주의는 스티그마(낙인감)를 시민의 권리에 반(反)하는 것으로 보고 보편적 제도의 실행을 통해 없애고자 노력한다.
② 잔여주의는 문제의 원인과 책임을 개인의 무능력, 나태와 게으름으로 보는 경향이 매우 강하다.
③ 제도주의는 위험의 원인과 책임을 '사적(私的)인 것'으로 보는 경향이 있다.
④ 잔여주의는 자립, 자조, 근면을 통해 개인들의 심리적 자존감을 회복하고자 노력한다.

○06 탈상품화와 계층화 개념을 통한 에스핑-안데르센의 복지국가 유형의 특징에 대한 서술 중 틀린 것은?

① 자유주의 복지국가에서는 공공부조프로그램을 강조한다.
② 사회민주주의 복지국가 유형에서는 자유주의 복지국가 유형에서보다 계층화 수준이 더 높다.
③ 조합주의 복지국가 유형에서는 자유주의 복지국가 유형에서보다 탈상품화 수준은 더 높고 계층화 수준은 더 낮다.
④ 자유주의 복지국가 유형에서는 탈상품화 수준은 낮으며 계층화의 수준은 높다.

07 다음 서술 중 에스핑-안데르센(앤더슨)이 말한 계층화와 가장 관련성이 큰 것은?

① 계층화 수준이 낮아질수록 잔여주의적 복지국가라고 볼 수 있다.

② 불평등과 깊은 관련이 있는 지표가 계층화이다.

③ 복지국가 유형과 계층화 수준은 큰 상관이 없다.

④ 한 사회에서 지위가 높은 계층에 속할수록 도덕적이다.

08 아래의 표에서 ⓐ와 ⓑ 들어갈 적합한 단어는?

범주	잔여주의 복지	제도주의 복지
소득원천	시장임금	ⓐ
사회임금	ⓑ	적극적
문제원인	개인과 가족	구조와 환경(국가)
자유	소극적 자유 국가로부터의 자유	적극적 자유 국가에로의 자유

① ⓐ 사회임금, ⓑ 소극적

② ⓐ 시장임금과 사회임금, ⓑ 소극적

③ ⓐ 시장임금과 사회임금, ⓑ 적극적

④ ⓐ 시장임금 ⓑ 소극적

09 아래의 표에서 ⓐ와 ⓑ 들어갈 적합한 단어는?

범주	잔여주의 복지	제도주의 복지
소득 원천	ⓐ	시장과 국가
문제 원인	개인과 가족	ⓑ
국가 역할	개인과 가족이 책임지지 못하는 취약계층 지원	일반국민(시민)에 대한 최소한의 소득과 안전 보장

① ⓐ 국가, ⓑ 개인과 가족   ② ⓐ 시장 ⓑ 개인과 가족
③ ⓐ 시장, ⓑ 국가   ④ ⓐ 국가, ⓑ 공동체

10 잔여주의와 제도주의에 대한 설명 중 옳은 것은?

① 제도주의는 위험을 개인적인 것으로 간주하는 경향이 강하게 있다.
② 제도주의는 문제의 원인과 책임을 구조와 당사자의 권력 부족에서 찾는 경향성이 크다.
③ 잔여주의는 자립과 자조, 근면의 동기부여를 하는 낙인감을 적극적으로 활용하고자 하기 보다는 이를 시민의 권리에 반(反)하는 것으로 보아 없애고자 노력한다.
④ 제도주의는 자립, 자조, 근면을 통해 개인들의 경쟁력을 강화하고 자존감을 회복하고자 노력한다.

○11 에스핑-안데르센의 세 가지 복지국가유형에 대한 설명으로 옳은 것은?

① 자유주의 복지국가 유형은 탈상품화 수준이 가장 높다.

② 조합주의 복지국가 유형에서는 계층화가 존재하지 않는다.

③ 자유주의 복지국가 유형은 계층화의 수준이 매우 높다.

④ 사회민주주의 복지국가 유형에서 탈상품화 수준이 가장 낮게 나타난다.

○12 계층화와 탈상품화를 기준으로 복지국가를 설명한 것 중 가장 적절한 것은?

① 자유주의 유형의 복지국가는 높은 탈상품화의 수준과 높은 계층화의 수준을 나타낸다.

② 사회민주주의 유형의 복지국가는 낮은 탈상품화의 수준과 높은 계층화의 수준을 나타낸다.

③ 조합주의 유형의 복지국가는 자유주의 유형의 복지국가보다 탈상품화와 계층화의 수준이 모두 낮다.

④ 사회민주주의 유형의 복지국가는 탈상품화의 수준이 자유주의 유형의 복지국가보다 높다.

13 | 사회민주주의 복지국가 유형에 대한 서술 중 가장 옳은 것은?

① 계층화는 불가피한 현상으로 보고 국가보다는 개인의 책임을 강조한다.

② 시장임금보다는 사회임금에 관심이 더 많다.

③ 소득이전 정책을 시행하면 시민들의 의존성이 커질 것이라고 여긴다.

④ 시장질서 확립을 우선시하고 노동자들의 근면·성실을 강조한다.

14 | 복지국가의 특징에 대한 서술 중 거리가 먼 것은?

① 높은 사회권 보장과 탈상품화

② 잔여적 복지 추구

③ 강력한 노동조합과 시민들의 세력화

④ 사회민주주의 이념 추구

15 | 소극적 집합주의에 대한 설명으로 틀린 것은?

① 시장을 비효율적이며 낭비적이라고 본다.

② 선별적 수준의 국가 개입을 인정하고 있다.

③ 정부의 복지 개입은 매우 제한적이다.

④ 자본주의 유지를 위해 특정 문제에만 관심을 갖는다.

17강 사회복지의 유형과 집

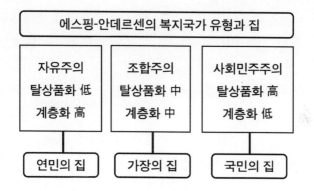

NOTE 복지국가 의식의 유형

- 잔여주의형
: 자유주의 → 복지국가의 개입수준과 정당성은 낮음
: 국가의 복지 서비스 제공 최소화
: 연대의식이 낮음 → 낮은 조세납부 의지
: 복지수혜의 성격은 시혜 또는 자선 → 선별적 복지
- 제도주의형
: 사회민주주의 → 복지국가의 개입수준과 정당성은 적정수준
: 연대의식(조세납부)이 보통
: 복지수혜의 성격은 권리(사회권) → 보편적 복지

KEY 01   사회민주주의와 국민의 집

1. 스웨덴의 사회민주주의
• 비인간화, 소외, 물신주의 등의 자본주의 모순에 대항하는 세력에 대한 자본주의의 적극적·능동적 대응으로 탄생

2. 스웨덴 사민당 총리 한손(P. A. Hansson)의 국민의 집
① 1938년 살트셰바덴 협약
• 1936년 사민당 집권 후 전국노동조합총연맹(LO)과 사용자연합(SAF) 간에 맺은 협약
• 임금인상 자제, 완전고용, 복지개혁
② 렌-마이드너 모델의 연대임금정책
• 동일노동 동일임금 원칙
: 기업의 생산성과 효율성 증가, 평등한 임금구조
: 탈상품화 촉진, 사회연대 강화
③ 성장촉진과 사회보호 동시 추구

3. 사회민주주의 유형과 국민의 집
① 권력관계와 사회복지정책에 초점
• 삼자협의주의(사회적 조합주의)
: 노·사·정(노동, 자본, 국가) 간의 협상과 타협
• 높은 탈상품화와 낮은 계층화

KEY_{02} 자유주의와 연민의 집

1. 영국과 미국의 (신)자유주의
① 하이에크, 프리드먼, 대처, 레이건
- 부르주아적 삶의 방식은 자연스럽고 좋은 방식
- 사회의 중심축은 노동계급이 아니라 세금을 내는 중간계급
- 공기업과 공공주택의 민영화
- 소유민주주의, 탈규제화, 노동시장 유연화
- 시장을 위한 정책, 최소국가(야경국가)
- 빈곤과 불평등을 당연시 여김
: 불평등은 게으름에 대한 징벌

2. 자유주의 유형과 연민의 집
- 기회평등, 국가로부터의 개인들의 자유, 민간의 복지 공급
- 선별주의와 잔여주의 사회복지
: 시장에서 탈락한 자들을 엄격한 심사를 통해 최소한의 온정
(자선, 시혜)을 베풀어 줌
- 낮은 탈상품화 수준과 높은 계층화 수준

CKEY 03 조합주의와 가장의 집

1. 독일의 조합주의

① 비스마르크

• 세계 최초로 모든 국민을 상대로 복지제도 도입

: 사회주로부터 자본주의를 지키고 선진국을 따라잡기 위한 성장전략의 일환

• 온정적·권위적·국가적 가부장주의에 기반

: 국가는 국민을 책임지며 온정을 베푸는 아버지

: 체제에 대한 충성과 경제발전 원동력으로 사회보험 도입

② 조합주의

• 사회보험을 기반으로 함

• 소극적 가족정책

: 남성소득원에 의존한 가족

: 완전고용 전제

: 여성은 전업주부

• 고용안정과 가족임금이 중요

: 높은 사회보장 임금대체율

• 자유주의보다 높은 탈상품화와 전반적으로 높은 수준의 계층화

국민의 집, 연민의 집, 가장의 집

국민의 집 (스웨덴)	• 사회민주주의 - 인간의 얼굴을 한 자본주의 • 보편적 복지, 제도적 복지 • 적극적 노동정책 • 성평등과 평등한 가족 : 돌봄의 사회화, 탈가족화, 여성의 사회참여 : 남성의 여성화, 여성의 남성화, 2인 부양자 : 전통적 표준형태 가족의 약화
연민의 집 (영미)	• 자유주의, 신자유주의 • 선별적 복지, 잔여적 복지 • 개인의 경쟁시장 적응력 중시 • 시장은 복지의 원천 : 시장 기반 1인 혹은 2인 부양자 • 여성 차별 심함 • 1대 99 사회로 양극화에 따른 두 국민전략 이라는 비판을 받음
가장의 집 (독일)	• 조합주의, 온정적·권위적 가부장주의 • 표준화된 가족(개인보다 가족의 우선성) : 1인 부양자 • 사회보험 제도 • 소극적 노동시장정책

문제풀이 연습

01 다음 중 연민의 집에 대한 설명으로 옳은 것은?

① 미국의 레이건(레이거노믹스)과 영국의 대처(대처리즘) 정책에 기반하고 있으며 1대 99 사회로 양극화 되어 두 국민전략이라는 비판을 받고 있다.

② 불평등과 양극화 문제를 해결하는데 꾸준히 기여해 왔다.

③ 정부의 적극적 시장 개입과 노사의 협상과 타협을 통해 노동시장유연화를 적극적으로 추구한다.

④ 부유한 집 혹은 가난한 집에 태어났든지 간에 출발선을 동일하게 해야 한다는 철학적 기반을 가지고 있다.

02 다음 중 국민의 집에 대한 설명으로 옳은 것은?

① 정부의 적극적 시장개입으로 노동시장 유연화를 추구한다.

② 잔여적 복지를 특징으로 한다.

③ 부자나 가난한 집, 어디에서 태어났든지 간에 출발선을 동일하게 해야 한다는 이념을 기반으로 한다.

④ 1대 99 사회로 불평등과 양극화가 심화되어 두 국민전략이라는 비판을 받고 있다.

03 에스핑 안데르센의 복지국가 유형 중 사회보험을 중심으로 아버지를 주생계원으로 하여 가족을 지지하는 것은?

① 자유주의 복지국가   ② 반(反)조합주의 복지국가
③ 사회민주주의 복지국가   ④ 조합주의 복지국가

04 다음 중 사회복지의 집을 감별하려고 할 때 고려할 요소로 거리가 가장 먼 것은?

① 이념(철학)   ② 자기계발역량 수준
③ 탈상품화와 계층화 수준   ④ 세력(권력)

05 다음 중 국민의 집에 대한 설명으로 틀린 것은?

① 1대 99 사회를 비판적으로 인식하고, 사회적 임금 수준을 높여 조건의 평등을 이루려 노력한다.
② 민주적 계급투쟁과 사회적 협상 및 타협을 거쳐서 정책이 형성된다.
③ 훌륭한 가족은 가족 구성원 누구도 특별히 대우하거나 천대하지 않는다는 스웨덴의 한손 총리의 말에 그 특징을 담고 있다.
④ 사회의 양극화 문제 해결에 성공적이지 못하다.

06 | 다음 그림과 관련한 서술 중 가장 옳은 것은?

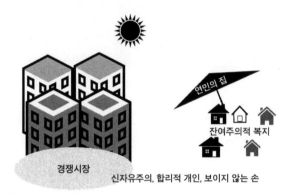

경쟁시장
신자유주의, 합리적 개인, 보이지 않는 손
연민의 집
잔여주의적 복지

① 계층화의 수준이 상당히 낮다.
② 빈곤의 원인과 책임이 개인에게 있다고 보는 경향이 크다.
③ 프랑스와 독일의 복지국가 유형을 상징적으로 나타낸다.
④ 높은 탈상품화 수준으로 인해 사회적 임금 수준이 상대적으로 낮다.

07 | 가장의 집과 가장 거리가 먼 것은?

① 소극적 노동시장 정책
② 표준화된 가족
③ 온정주의와 조합주의
④ 사회보험제도에 따른 낮은 계층화

08 다음 그림과 관련한 서술 중 가장 옳은 것은?

① 탈상품화 수준이 높아서 사회적 임금 수준이 다른 복지국가에 비해 상대적으로 낮다.

② 스웨덴의 복지국가 유형을 나타낸 것으로 조합주의 복지국가 유형보다 탈상품화 수준이 높다.

③ 자유주의 복지국가 유형과 비교했을 때, 계층화 수준이 상당히 높다.

④ 엄청난 계급적 갈등으로 정국이 매우 혼란스럽다.

09 | 스웨덴의 국민의 집과 관련한 설명 중에서 가장 거리가 먼 것은?

① 빈곤의 원인과 책임을 개인의 게으름 때문이라고 보고 모든 국민을 대상으로 적극적 노동시장정책을 실시하고 있다.

② 계급 간의 적대가 아니라 협상과 타협을 통해 사회적 임금 수준을 확대하는 전략을 추구했다.

③ 복지(사회의 보호)와 성장의 촉진을 동시에 추구했다.

④ 국민의 집에서는 돌봄의 사회화, 가부장적 의식해체, 즉 남성의 여성화와 탈가족화를 통한 성평등을 실현하려고 한다.

10 | 다음 중 자유주의 이념을 가진 세력이 지은 연민의 집에 대한 서술로 가장 옳은 것은?

① 기회의 평등보다는 조건의 평등을 지지하는 경향이 있다.

② 잔여주의 원칙에 입각하여 취약계층을 대상으로 보호하고자 한다.

③ 계급 간의 타협과 사회적 연대를 통하여 연민의 집을 튼튼하게 지었다.

④ 정부의 적극적 시장 개입과 노사 간의 협상과 타협을 통해 고용문제와 양극화 문제를 해결하여 연민의 집을 튼튼히 하려고 한다.

○11 다음 그림과 관련한 서술 중 가장 옳은 것은?

① 자유주의 복지국가 유형과 비교했을 때, 낮은 탈상품화 수준을 보인다.

② 극심한 계급 간의 갈등으로 사회가 혼란스럽다.

③ 계층화 현상은 전혀 발생하지 않는다.

④ 독일의 복지국가 유형을 나타내고 있다.

○12 다음 중 가장의 집과 가장 거리가 가까운 것은?

① 남성 주생계원 중심   ② 보이지 않는 손

③ 성평등의 다양한 가족   ④ 계급투쟁과 사회적 합의

⭕13 | 잔여주의와 제도주의 복지에 대한 설명 중 가장 옳은 것은?

① 잔여적 복지는 개인의 자립과 자조를 강조한다.

② 제도적 복지는 엄격한 자산조사를 통하여 취약계층 중심의 복지서비스를 제공한다.

③ 잔여적 복지는 구조와 제도의 변화에 적극적이다.

④ 잔여적 복지는 스티그마의 발생 확률이 거의 없다.

⭕14 | 세월호 사건이나 이태원 참사와 같은 사회적 사건에 대한 제도주의적 복지인식으로 가장 거리가 먼 것은?

① 정부의 탈규제 정책 시행을 참극의 원인으로 본다.

② 안전책임이 있는 정부가 민간에게 위탁한 결과로 참극이 발생했다고 본다.

③ 참극의 근본적 원인은 민간 담당자들의 잘못이라고 본다.

④ 성장을 제일 우선시하며 추진한 정부 정책들이 근본적 원인이라고 본다.

⭕15 | 다음 중 국민의 집과 가장 거리가 먼 것은?

① 출발선을 동일하게 해야 한다는 철학을 기반으로 한다.

② 적극적으로 노동시장에 개입한다.

③ 불평등과 양극화 해소에 기여해 왔다.

④ 표준적 가족 안에서 아버지의 권위를 세워준다.

18강 사회복지의 구조

사회복지의 구조			
재정	급여	할당	전달체계
조세 기여금 기부금 이용료	현금 현물 기회 서비스 바우처 권력	욕구충족 대상/범위 보편주의 자산조사 사회보험	재정할당의 주체 공공복지 민간복지 제3섹터

NOTE 사회복지와 욕구

▪ 매슬로(A. Maslow)의 욕구 5단계

: 저차원 욕구와 고차원 욕구

: 생리적 욕구, 안전욕구, 소속·애정욕구, 존중욕구, 자아실현

: 단계적 욕구 충족

▪ 사회복지는 시민(클라이언트)의 욕구에 대한 대응

: 욕구들 중에서 사회가 공급해야 하는 욕구를 공적으로 제공

KEY 01 사회복지의 구조

1. 에스핑 안데르센(G. Esping-Andersen)의 사회복지 구조
① 무엇이 제공되는가?
- 사회복지 급여의 형태
② 어떻게 제공되는가?
- 사회복지 공급의 주체(국가, 시장, 가족)
③ 누가 혜택을 받는가?
- 사회복지의 대상

2. 길버트와 테렐(Gilbert & Terrell)의 사회복지정책 영역
① 급여에 필요한 재정마련 방법은?
② 사회적 급여 할당의 근거는?
- 개인주의 혹은 집합주의
③ 사회적 급여의 형태는?
- 무엇이 제공되는가?
- 현금, 현물, 서비스, 기회, 세금 공제 등
④ 사회적 급여 전달의 전략은?
- 어떻게 제공되는가?, 공급주체?
- 중앙정부, 지방정부, 민간, 혼합

$\bigcirc$ KEY 02 사회복지의 급여

※ 사회복지 급여는 사회복지 서비스 수급자에게 제공되는 물질적·비물질적 자원을 의미함

1. 물질적 서비스(전통적 급여)

현금급여	현물급여
• 공공부조, 아동수당, 사회보험 등의 사회복지프로그램 • 수급자의 사용 편리성 : 소비자 주권에 기초 : 선택의 자유, 효용 극대화 • 수월한 관리 • 낮은 관리 및 운영 비용 • 수급자들의 자유와 존엄성 존중과 수치심 감소 • 전이 가능성을 제한 못함 • 불필요한 곳에 사용함 : 사회적 효용 감소 • 신자유주의는 현금 급여가 근로동기 저하를 유발한다고 비판하고 서비스와 바우처를 지지함	• 구체적 물품인 재화를 지급 • 규모의 경제로 인해 대량으로 값싸게 급여 제공 • 수급자의 행위 통제 가능 : 제한적 전이 가능성으로 인해 본래 목적대로 전달 가능 • 낙인감을 줄 수 있음 • 유통 상 추가비용 발생 • 필요 이상으로 제공되어 자원 낭비의 가능성이 있음 • 현대 복지국가에서 비중이 감소함

2. 비물질적 서비스(대안적 급여)

기회	• 사회적 특혜, 예외적 기회 제공 • 사회적 불이익집단들에게 보다 유리한 지위를 제공하는 급여 형태 • 퇴역군인 공무원 임용시험 가산점 부여, 특례입학, 장애인 및 여성 고용할당제 • 직접적 전이가치가 전혀 없음 : 다른 급여와 교환 불가능
서비스	• 클라이언트에게 제공되는 활동 • 가정봉사 서비스, 상담, 사례관리, 훈련, 치료 • 전이 불가능
바우처	• 일정 범위 내에서의 선택할 증서 제공 : 식료품 할인 구매권, 사회 서비스 바우처 • 현금과 현물급여를 고려한 제3의 급여형태 : 소비자 주권 보장과 사회통제 가능 : 주관적 효용 증가와 운영비 감소 • 공급자 간 경쟁 유발로 서비스 질 향상 • 집합주의와 개인주의 모두가 지지
권력	• 재화와 자원 통제에 영향을 주는 힘을 재분배하는 것(정책결정 과정에 반영될 기회제공) • 여론조사, 공청회, 사회복지프로그램 형성과 집행에 대한 결정권 행사
기타	• 세금공제 등

KEY 03 사회복지 할당

※ 사회복지의 할당은 누구를 욕구충족 대상(클라이언트)으로 할 것인가에 대한 것

1. 할당에 대한 세 가지 접근법

자산조사	• 자유주의, 선별주의, 잔여주의 • 문제 원인은 게으름과 무능력의 개인적 속성 • 적자생존의 사회진화론(경쟁, 근면, 자립, 자조) • 기회의 평등, 복지는 비용, 복지병 • 경제적 수준을 기준으로 대상자 선정 : 자산조사 후 취약계층에 자선적·시혜적 복지 : 공적 부조, 낙인감, 의도적 선별 현상 발생 : 급여 수급률 낮음, 수급자는 신청을 망설임
보편주의	• 문제 원인은 사회 환경과 구조 • 연대, 협동, 상호부조, 사회적 권리 • 조건의 평등, 결과의 평등 • 귀속적 욕구를 준거로 할당 : 노인에 귀속되면 노인 모두에게 복지 제공 • 복지는 투자
사회보험	• 기여의 원칙에 기초를 둠 • 특정 횟수 이상의 보험료 납부

KEY 04 사회복지 전달체계

1. 사회복지 서비스 전달체계의 의미
① 사회적 임금(사회복지 재정)을 할당하는 주체
- 급여 제공의 조직적 장치
: 급여를 수급자에게 전달하기 위해 어떤 조직을 통해 실행할지의 전략을 선택하는 것
- 사회복지 급여를 매개하는 역할을 하는 기구와 제도
- 사회제도와 조직화 형태
: 친족(가족), 종교(교회), 작업장(기업, 공장, 농장), 시장(생산자와 소비자, 기업과 가계), 상호부조(상호부조 및 민간 비영리 단체), 정부(중앙·지방 정부)

2. 전달체계의 범주화

• 협의의 전달체계는 사회복지사와 클라이언트 사이의 상호관계를 이루면서 직접 전달하는 집행체계로 봄 • 광의적 전달체계는 집행체계와 행정체계를 합친 것
• 정책주체는 정책을 입안하고 실행하는 국가, 지자체, 법인(보건복지부, 고용노동부) • 운영주체에는 공적 기관과 민간 기관으로 구분됨 • 실천주체는 서비스를 제공하는 인적 자원을 의미
• 공공복지(정부가 주체), 민간복지, 제3섹터(공식과 비공식, 영리와 비영리의 중간적 영역, 사회적 기업)

사회복지 전달체계의 경향과 쟁점

▪ 전달체계의 유효성은 추구 가치와 목표에 따라 달라짐
: 소득재분배가 목표이면 민간(영리조직)으로는 불충분·부적합
: 효율성과 효과성에서 우수한 영리조직의 참여는 가능
▪ 사회복지 공급의 복지다원주의(전달체계의 다변화)
: 비공식 부문으로부터 비영리 민간부문, 공공부문으로 변화
: 신자유주의 정부에서는 영리부문이 전달체계로 등장
: 복지다원주의와 민영화는 연관되어 있음
: 전달체계의 시장화로 미국의 사회복지사는 '믿을 수 없는 천사'로 인식됨
▪ 정부에서 제공하는 것이 바람직한 급여
: 공공재 성격이 강한 교육과 의료
: 많은 정보가 필요하고 정보구입 비용이 높은 급여
: 임의적 가입으로 인해 역선택이 발생하는 사회보험서비스

QUIZ **29** 사회복지 전달체계와 가장 거리가 먼 것은?

① 전달체계는 복지서비스를 전달하는 조직체계와는 관련이 없다.
② 전달체계는 민영화 논의에서 자유로울 수 없다.
③ 전달체계의 민영화는 복지다원주의와 관련이 있다.
④ 사회복지사와 복지기관은 전달체계 중 하나이다.

CKEY 05 사회복지 재정

1. 사회복지의 재정의 원천과 특징

① 공공재정(조세)

• 공적 사회복지활동에서 가장 중요한 재원

• 재분배효과 측면에서의 분류

: 소득세로 대표되는 누진세는 재분배효과가 큼

: 부가가치세로 대표되는 역진세는 모든 사람에게 일률적 부과하므로 재분배 효과가 미미함

: 미국의 사회보장세는 누진세와 역진세의 중간(사회보험기여금을 적게 낸 사람들에게 더 많이 줌)

• 조세방식의 장점

: 보편성, 안정성, 갹출의 용이성, 민주성과 명확성 보장

: 보험료 방식보다 소득재분배에 용이, 포괄적으로 재원 확보

② 기여금(사회보험 기여금)

• 사회보험의 재정 원천으로 중요(보험료 방식)

: 노동자의 수입과 고용주의 지불임금에 대한 세금의 성격

: 직업과 직종 간의 연대성에 기반

: 공제조합 전통이 강한 유럽 대륙국가에서 보험료 방식 채택

③ 기부금

• 민간의 자발적 재정 기여

④ 서비스 이용료

• 시장에서 재화서비스 제공한 대가

○ 01 길버트와 테렐(Gilbert & Terrell)이 구분한 사회복지 정책의 네 가지 영역과 거리가 먼 것은?

① 급여에 필요한 인적·물적 네트워크는? - 사적·공적 연계망
② 급여를 전달하기 위한 전략은? - 중앙·지방정부, 민간부문
③ 할당의 기반은? - 개인주의와 집합주의
④ 급여의 형태는? - 현금, 현물, 기회, 권력, 바우처

○ 02 다음 중 사회복지 급여 형태별 설명으로 타당하지 않은 것은?

① 현물급여는 규모의 경제로 경제적일 수 있지만 관료적 운영으로 실제경비가 과다할 수 있다.
② 장애인 고용 의무화는 기회(사회적 특혜)의 예에 해당된다.
③ 현금급여는 인간의 존엄성을 유지시키는 데 우월하다.
④ 권력은 공급자 간 경쟁을 유발시켜 서비스의 질을 향상시키는 것이 가능하다.

03 | 사회복지 급여와 관련한 다음 서술 중 가장 적절한 것은?

① 아동수당과 사회보험은 현물급여의 한 형태이다.
② 기회와 권력은 사회복지 급여의 형태로 볼 수 있다.
③ 현금급여와 비교하여 현물급여를 제공함에 따라 행정비용을 줄일 수 있다.
④ 바우처(증서)는 시장경쟁과는 아무런 연관성이 없다.

04 | 다음의 복지서비스 가운데 그 성격이 다른 하나는?

① 독거노인에게 제공하는 밑반찬
② 가출한 청소년을 대상으로 한 상담서비스
③ 청소년들의 성적향상을 위한 프로그램
④ 지역주민이 참여하는 예산제

05 | 사회복지 할당에 대한 다음 설명 중 틀린 것은?

① 보편주의는 시민들의 욕구를 준거로 할당을 결정한다.
② 보편적 복지의 할당은 권리의 관점에서 시도된다.
③ 잔여주의(선별주의)는 경제적 수준(자산조사)에 따라 복지의 대상자를 결정한다.
④ 선별주의는 시민일반을, 보편주의는 취약계층에 한정하여 할당의 대상으로 하는 경향이 있다.

06 | 사회복지 급여 형태와 관련한 설명 중에서 사실과 가장 거리가 먼 것은?

① 바우처 - 일정 범위에서 수급자의 선택의 자유보장과 사회통제가 가능하여 복지정책 목적 달성도 제고
② 현금급여 - 인간 존엄성 관점에서 현물급여보다 유리
③ 현물급여 - 낙인감을 줄 수 있음
④ 서비스 - 사회복지기관 이사회에 빈곤계층 대표자 참여

07 | 다음 중 현물급여의 특징과 거리가 먼 것은?

① 수급자에게 선택권이 있다.
② 낙인감(스티그마)이 유발된다.
③ 현대복지국가에서는 현금급여보다 비중이 줄어들었다.
④ 현금급여에 비해 운반·관리·저장 비용이 많이 든다.

08 | 다음 중 현물급여의 특징에 해당하는 것은?

① 낙인감(스티그마)을 유발시키지 않는다.
② 수급자의 선택의 자유를 충분히 보장하여 수급자의 효용을 극대화할 수 있다.
③ 현금급여에 비해 현물급여는 행정비용을 줄일 수 있다.
④ 현금급여와 비교하여 관리, 운반, 저장 등에 있어서 비용이 많이 든다.

09 | 사회복지 할당에 대한 다음 설명 중 틀린 것은?

① 잔여주의(선별주의)는 취약계층을 중심으로 할당하려는 태도를 가지고 있다.

② 제도주의(보편주의)는 일반시민을 대상으로 할당하려는 것을 원칙으로 삼고 있다.

③ 잔여주의와 제도주의를 구분하는 것과 할당방식은 깊게 연관되어 있다.

④ 사회복지 할당은 오직 현물급여와 현금급여만이 있다.

10 | 소비자 주권에 기초하여 수혜자의 효용 제고에 유리하고 운영비용을 저렴하게 할 수 있는 급여의 형태는?

① 현물급여　　　　　② 현금급여

③ 바우처(증서·상환권)　　④ 정책참여와 권력

11 | 사회복지 할당에 대한 다음 설명 중 옳은 것은?

① 사회복지 할당이란 욕구충족의 대상과 범위, 즉 누구를 대상으로 급여를 줄 것인가와 관련되어 있다.

② 자산조사형 급여는 보편주의적 급여보다 수급률이 높다.

③ 잔여주의와 제도주의 구분과 할당은 아무런 관련이 없다.

④ 자산조사형 급여는 기여의 원칙에 기초를 둔 접근법이다.

12 전달체계에 대한 설명 중 옳은 것은?

① 전달체계 주체는 사회복지사와 복지기관만이 해당된다.
② 전달체계는 전적으로 정부가 책임지므로 민영화 논의와 관련이 없다.
③ 미국에서는 전달체계의 시장화의 영향으로 인해 사회복지사를 '믿을 수 없는 천사'로 인식하게 되었다.
④ 복지다원주의는 사회복지 전달체계의 민영화를 가급적 억제하려는 태도를 가지고 있다.

13 사회보험의 재정 원천으로 중요하며, 사회보험에서 보통 노동자와 사용자가 각각 절반 부담하고 정부가 보조해 준다. 다음 중 사회보험의 재정 원천으로 중요한 것은?

① 기여금   ② 기부금
③ 공공재정   ④ 서비스 이용료

14 사회복지의 권력분배와 가장 연관성이 적은 것은?

① 수급자 대표의 사회복지기관 운영위원회 참여
② 주민참여예산제 실시
③ 노·사·민·정으로 구성된 협의회
④ 장애인과 여성에 대한 고용할당제 실시

19강 사회보장제도의 형성

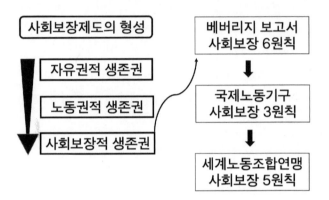

NOTE 사회보장(social security)의 개념

- 집단적 방법으로 안정된 생활보장

: 주거, 교육, 의료, 소득에 대한 지원제도

- 사회보장이라는 개념의 등장

: 1918년 소비에트 헌법에서 시작

: 자본주의 사회에서는 1935년 루즈벨트 대통령의 사회보장법에서 최초로 공식적 사용

: 제2차 세계 대전 말부터의 사회보장 계획서들(베버리지 플랜과 라로크 플랜)에 의해 본격적 등장

KEY 01 사회보장계획서

1. 1942년 영국의 베버리지 플랜

① 사회보장에 관한 최초의 교과서

• 5대 사회악(결핍, 질병, 무지, 불결, 나태)을 제시하고 그 중에서 결핍(빈곤)으로부터의 자유를 우선적으로 지향

• 전 국민을 대상으로 최저소득 보장(국민기본선 보장) 제도

• 사회보장은 결핍으로부터의 자유

: 시장의 결핍으로부터의 해방

: 사회보험 서비스에 관한 보고서

2. 1944년 프랑스의 라로크 플랜

① 사회보장에 대한 관점

• 사회보장은 생활불안으로부터의 보장

: 생활수단의 영속성 보장, 최저생활 보장

: 국가적 연대책임 아래 모든 구성원의 안전 보장

QUIZ **30** 베버리지 보고서와 거리가 먼 것은?

① 결핍으로부터의 자유

② 생활불안으로부터의 보장

③ 5대 사회악

④ 국민기본선 보장과 사회보험

◯ KEY 02 생존권 보장으로서의 사회보장제도

1. 자유권적 생존권
① 자본주의 확립기
• 자유방임주의 빈곤관
: 빈곤은 개인의 책임
: 맬서스의 자연도태론, 벤담의 공리주의
: 자조원칙의 신구빈법, 자기책임 원칙의 장미법(Rose Act)

2. 노동권적 생존권
① 독점자본주의 시기
• 부스와 라운트리의 사회조사
: 빈곤은 고용 불안정과 저임금 등의 구조적 모순 때문
• 노동자들의 조직적 움직임
: 생존권 보장 차원이 아니라 계급 대립 완화를 목적으로 사회보험(노동자보험) 도입

3. 사회보장적 생존권
① 독점자본주의의 고도화 시기
• 생존권 보장 차원의 사회보장 등장

C KEY 03 베버리지 보고서의 사회보장 원칙

1. 베버리지 보고서의 6가지 원칙
① 동일한 급여(정액 급여)의 원칙
• 모든 사람에게 동일한 액수의 급여 제공
② 동일한 기여(정액 기여)의 원칙
• 동일한 보험료를 부담
③ 행정책임의 단일화 원칙
• 서비스 중복 방지와 재원조달 통일화를 위한 소득보장 관련 운영기관의 단일화
④ 급여의 적절성 원칙
• 생존에 필요한 최소 소득 제공
• 충분한 수준의 금액과 기간
⑤ 적용 범위의 포괄성 원칙
• 적용 대상과 적용 사고에 포괄적 적용
⑥ 적용 대상의 분류(계층화) 원칙
• 대상의 다양한 욕구나 상황 및 삶의 방식을 고려

QUIZ 31 베버리지 사회보험 원칙과 거리가 먼 것은?

① 행정 책임의 분산화 원칙　　② 적용 범위의 포괄성 원칙
③ 동일한 급여의 원칙　　　　　④ 동일한 기여의 원칙

KEY 04 ILO와 WFTU의 사회보장 원칙

1. 국제노동기구(ILO)
① 대상의 보편성 원칙
• 모든 국민을 대상으로 포괄적 적용
② 비용부담의 공평성 원칙
③ 급여수준의 적절성 원칙
• 현금급여의 원칙, 정기적 급여의 원칙
• 정기적 급여의 3원칙
: 가족의 부양 수준 원칙, 균일급여 원칙, 비례급여 원칙

2. 세계노동조합연맹(WFTU)
① 노동자 무갹출의 원칙
② 의료의 사회화 원칙
③ 사회적 위험의 포괄성의 원칙
④ 적용 대상의 포괄성의 원칙
⑤ 무차별 적용의 원칙

 32 세계노동조합연맹의 사회보장 원칙과 가장 거리가 먼 것은?

① 무차별 적용의 원칙   ② 의료의 사회화 원칙
③ 자산조사에 의한 선별적 원칙   ④ 노동자 무갹출의 원칙

사회보장의 유형

- 베버리지의 분류
: 사회보험, 공공부조, 보편주의 수당, 민간보험
- 레즈다의 분류
: 사회보험, 공공부조, 보편주의 수당, 공적 개인저축계정
- 국제노동기구(ILO)
: 4대 사회보험(건강, 연금, 산재, 실업), 아동수당

QUIZ **33** 사회보장제도 서술 중 타당하지 않은 것은?

① 사회보장제도의 보장성의 수준은 고정적으로 정해진 것이 아니라 사회가 처한 상황에 따라 다소 차이가 날 수 있다.
② 사회보장제도는 특정한 국민만을 대상으로 최소한의 소득 수준을 보장해 주기 위한 제도이다.
③ 베버리지 보고서는 사회보장제도 형성에 많은 영향을 준 보고서들 중 하나이다.
④ 사회보험과 공공부조는 사회보장제도에 포함된다.

19강 | 문제풀이 연습

01 | 베버리지 보고서와 가장 거리가 먼 것은?

① 전후 영국의 복지국가 발달에 매우 큰 영향을 미쳤다.
② 아동수당, 포괄적 의료 및 재활서비스, 완전고용의 유지 등을 사회보험의 3대 전제조건으로 제시하고 있다.
③ 통합된 사회보험 관련 서비스에 관한 보고서이다.
④ 자본주의를 점진적으로 개혁하여 사회주의로 이행해야 한다고 주장했다.

02 | 다음의 사회보장제도에 대한 서술 중 틀린 것은?

① 사회보장제도는 전체 국민의 의존성을 강화하는 경향이 크다.
② 사회보장제도는 전 국민의 최저 소득을 보장해 주려는 제도이다.
③ 국제노동기구(ILO)의 사회보장은 베버리지 보고서와 비교했을 때 노동자에게 보다 유리하다.
④ 사회보장제도는 국가의 공적 기능 및 대응과 관련이 있다.

03 | 사회보장제도에 대한 설명으로 가장 타당한 것은?

① 서유럽의 복지 선진국에서는 주로 민간회사에 위탁하여 사회보험을 운영하고 있다.
② 사회보장제도는 소득보다는 주로 주거에 집중하고 있다.
③ 베버리지는 실업, 질병, 재해, 무지 등으로 발생한 소득 감소를 국가가 공적으로 대응해야 한다고 주장했다.
④ 모든 학자와 나라에서 주장하고 실시하는 사회보장의 기준은 동일하다.

04 | 베버리지 보고서에 대한 다음의 설명 중에서 사실과 가장 거리가 먼 것은?

① 사회보장에 관한 세계 최초의 교과서라고 할 수 있다.
② 사회의 5대악으로 결핍, 질병, 무지, 불결, 나태를 주장했고 그 중 우선적으로 결핍으로부터의 자유를 지향했다.
③ 전 국민 대상으로 최저한의 소득을 보장해 주기 위한 소득보장책이다.
④ 베버리지는 실업, 질병, 재해, 무지 등으로 발생한 소득 감소에 대하여 가족 중심의 사적 대응을 주장했다.

05 | 사회보장제도에 대한 서술 중 가장 옳은 것은?

① 모든 나라에서 사회보장성은 동일하게 정해진다.
② 집단적 방법으로 안정된 생활을 보장하는 것이다.
③ 사회보험만이 사회보장제도에 포함된다.
④ 소수의 국민들에게 최저수준의 소득을 보장해 주기 위한 제도이다.

06 | 사회보장에 대한 베버리지 보고서의 원칙 중 사회보험 대상의 다양한 욕구, 상황, 삶의 방식을 고려하는 것과 관련된 것은?

① 행정 책임의 단일화 원칙　　② 급여의 적절성 원칙
③ 적용 범위의 포괄성 원칙　　④ 적용 대상의 분류 원칙

07 | 국제노동기구의 사회보장 원칙에 대한 다음 설명 중 틀린 것은?

① 대상의 보편성, 비용 부담의 공평성, 급여 수준의 적절성 원칙 등을 제시하고 있다.
② 사회보장은 현물급여를 원칙으로 한다.
③ 일시 급여 대신 정기적 급여를 원칙으로 한다.
④ 정기적 급여의 원칙으로는 가족의 부양 수준 원칙, 균일급여의 원칙, 비례 급여의 원칙이 있다.

08 | 다음의 사회보장제도에 대한 서술 중 가장 부적절한 것은?

① 제도주의가 잔여주의보다 사회보장의 범위가 넓다.

② 사회보장의 기준은 각각의 나라와 학자들마다 동일하지 않을 수도 있다.

③ 베버리지 보고서는 사회보장의 운영원리를 사회보험과 연관하여 체계화했다.

④ 베버리지는 사회문제에 대하여 개인보다는 가족 중심의 해결을 주장했다.

09 | 1942년 베버리지 보고서에서 구상한 복지국가 모형의 특징이 아닌 것은?

① 빈곤계층을 대상으로 하는 선별적 복지를 강조한다.

② 노령, 장애, 실업, 질병 등과 같은 사회적 위험들을 하나의 국민보험(사회보험)에서 통합적으로 운영한다.

③ 베버리지는 결핍(궁핍), 질병, 무지, 불결, 나태를 사회의 5대 악으로 규정한다.

④ 행정 책임의 단일화 원칙은 서비스의 중복 방지와 재원의 조달방식을 통일할 수 있는 효과가 있다.

20강 사회보장의 유형

```
              ┌─────────────────┐
              │   사회보장제도   │
              └─────────────────┘
          ┌───────────┴───────────┐
┌───────────────────┐   ┌───────────────────────┐
│      공공부조       │   │        사회보험        │
│ - 국민기초생활보장제도 │   │ - 국민연금(공적 연금)   │
│ - 의료급여제도       │   │ - 산재보험             │
│                   │   │ - 고용보험(실업보험)     │
│                   │   │ - 의료보험             │
│                   │   │ - 장기요양보험          │
└───────────────────┘   └───────────────────────┘
```

NOTE   사회보장제도의 양대 기둥

- 공공부조

: 소득보장을 목적으로 일부 절대 빈곤층을 대상으로 함

: 사회보험의 보완

: 생존권 보장 원리에 의한 최저생활보장

- 사회보험

: 소득보장을 목적으로 모든 계층을 대상으로 함

: 수급대상의 기여에 기초

KEY 01 공공부조(公共扶助)

1. 공공부조
① 빈곤에 대한 사회보장적 대응
* 빈곤에 대한 최후의 사회안전망(국가적 대응)
* 국가는 자산조사를 실시하여 조세를 통해 직접 보조
* 원리
: 생존권 보장, 국가책임, 최저생활보장, 무차별 평등
: 자립 조장과 보충성의 원리
* 한국의 공공부조
: 국민기초생활보장제도와 의료급여제도
: 40년 동안 시행된 생활보호법이 2000년부터 국민기초생활
보장법으로 대체

2. 공공부조와 사회보험 비교

공공부조	사회보험
• 선별적 복지(자산조사) • 저소득층 대상 • 재원은 전액 일반 조세 • 스티그마 형성 • 소득재분배적 기능 • 주체는 국가 및 지자체	• 보편적 복지 • 모든 국민 대상 • 재원은 노동자기여금, 사용자부담금, 정부 보조 • 주체는 국가

(KEY 02 사회보험의 개념과 특징

1. 사회보험의 개념
① 사회적 위험에 대한 보험 방식의 공적 대응
• 보험의 방식을 이용해 사회복지정책을 실현하는 제도

2. 사회보험과 민간보험의 비교
① 공통점
• 기원은 19세기 공제조합에서 출발
: 보험 성격과 경제적 보장을 통한 위험의 이전과 분산
② 차이점
• 소득재분배를 위한 비영리 목적 vs. 민간보험의 영리 목적
• 보험가입의 강제성 vs. 민간보험의 자발성
• 최저 소득 보호 vs. 민간보험의 개인적 필요 소득 보장
• 공동 부담의 원칙 vs. 민간보험의 본인 부담의 원칙
• 급여수준의 균등 급여 vs. 민간보험의 기여 비례 급여
• 낮은 관리비용 vs. 민간보험의 높은 관리비용
• 집단 대상 vs. 민간보험의 개인대상
• 인플레이션 대응을 위한 조세 사용 vs. 인플레이션에 취약

KEY 03　사회보험의 종류와 특징(1)

1. 노령과 국민연금
① 앞 세대와 뒤 세대 간의 연대소득보장제도
- 소득 없는 노후 대비(일종의 사회적 저축)
- 부과 방식의 공적 연금
- 다단계 금융피라미드라는 비판
② 독일에서 시작된 공적 연금제도
- 19세기 비스마르크

2. 산재보험
① 대부분 국가에서 제일 먼저 실시
- 노동력 보호가 기업 목표와 일치 및 노동조합의 노력
- 노동조합과 깊은 연관성
- 초기의 과실책임에서 무과실책임으로 변화
: 도입 초기에는 재해 발생을 고용주 책임으로 보았으나 재해의 원인은 노동자가 입증해야 했음
: 무과실책임 원칙으로 인해 업무상 재해에 대해 사용자의 고의, 과실 여부와 상관없이 책임지게 됨
- 사용자보험의 성격과 사회보장적 성격
- 베버리지 보고서에서 산업재해를 사회보험 영역으로 끌어오려고 노력함

KEY 04 사회보험의 종류와 특징(2)

1. 실업과 고용보험

① 목적
• 근로 의사와 능력을 가진 노동자가 실직한 경우에 노동자의 생활안정을 보장
• 고용을 목적으로 한다는 점에서 고용보험이라고도 함

② 1911년 영국에서 시작

③ 재원
• 노사보험료와 정부 보조금

④ 한계
• 대상 범위와 급여 기간이 한정적임
: 실업을 단기적 현상으로 전제하고 그 대상을 기존 직장에서 일한 사람만을 대상으로 함
: 장기적 불황이나 실업에는 한계를 지님
: 노동능력이 없는 사람에게는 무의미한 제도

※ 네덜란드의 바세나르 협약(Wassenaar Agreement)
• 1990년대 '모든 협약의 어머니'로 불림
• 일자리 나누기의 모범 사례
: 노조 측은 스스로 임금 안정을 결정
: 회사 측은 파트타임 중심으로 일자리 늘리고 훈련기회 확대
: 정부 측은 세금감면 실시

KEY 05 사회보험의 종류와 특징(3)

1. 질병과 의료보험

① 목적

• 질병에 대한 사회보험 방식의 공적 대응

: 국민보건 향상과 사회보장 증진 도모

② 1883년 프러시아(프로이센)에서 시작

③ 건강보험의 두 가지 유형

• 의료민영화의 미국

: 국가가 취약계층만을 선별하여 공공의료 지원(30% 정도)

: 시장에 기반을 둠(대부분 민간보험에 의존)

: 보험료 급증에 따른 서민 부담이 큼

• 의료천국의 쿠바

: 조세 기반의 공적 의료보험을 통해 국가가 책임

: 가정주치의 시스템(1차 진료 전문의 제도)

: 무상으로 예방 중심의 건강관리 서비스 제공

QUIZ **34** 쿠바와 미국의 의료에 대한 다음 서술 중 옳은 것은?

① 미국의 의료보험은 전 국민의 무상의료를 추구한다.

② 쿠바는 의료를 국가가 책임지려고 한다.

③ 쿠바의 의료보험 기본 틀은 민간보험이다.

④ 미국의 의료보험 가입자는 거의 없다고 볼 수 있다.

CKEY 06 사회보험의 종류와 특징(4)

1. 장기요양보험

① 목적
- 고령 및 노인성 질병으로 일상생활 수행이 어려운 노인에게 제공하는 신체 및 가사활동 지원
- 노후 건강증진과 생활안정 도모
- 가족의 부담 경감

② 수발보험이라고도 함

③ 노인장기요양보험에 따른 국가 분류
- 완전한 사회보험 방식의 국가
: 미국(medicare), 네덜란드, 한국, 일본, 독일 등
: 한국에서는 노인부양의 짐을 사회가 품앗이 하겠다는 취지로 2008년 시행(사회보험에 조세 방식 부가)
- 완전한 조세 방식의 국가
: 오스트리아, 오스트레일리아, 캐나다, 아일랜드, 뉴질랜드, 스웨덴, 노르웨이, 스페인

20강 ‖ 문제풀이 연습

○01 다음의 공공부조에 대한 설명 중 틀린 것은?

① 빈곤에 대한 최후의 국가적 대응으로 사회적 취약계층에 대한 최종적 소득보장제도이다.

② 선별적 복지프로그램으로 수혜자 선정 시 자산조사가 필수적이다.

③ 보편적인 제도이므로 모든 국민을 대상으로 지급한다.

④ 소득의 이전을 통해 소득재분배적 기능을 함에 따라 불평등을 완화시킬 수 있다.

○02 사회보험과 민간보험에 대한 다음 설명 중 타당하지 않은 것은?

① 민간보험과 사회보험은 보험원리가 다르기 때문에 공통점이 존재하지 않는다.

② 사회보험은 집단을 대상으로 하는 반면 민간보험은 개인을 대상으로 한다.

③ 민간보험은 상대적으로 관리비용이 더 많이 필요하다.

④ 민간보험 가입은 자발적이지만 사회보험은 강제적이다.

03 | 다음의 사회보장제도 중 사회보험프로그램에 해당하지 않는 것은?

① 국민연금
② 실업과 고용보험
③ 산업재해보험
④ 국민기초생활보장제도

04 | 보편적 복지를 추구하는 국가의 공공의료에 대한 서술 중 가장 옳은 것은?

① 미국에서의 의료보험은 기본적으로 무상의료를 추구한다.
② 시장원리에 따른 민간보험을 기반으로 접근해 간다.
③ 공공의료는 민간의료보다 언제나 낭비를 초래한다고 본다.
④ 질병에 대한 치료 책임이 국가에 있다고 본다.

05 | 민간보험과 사회보험에 대한 다음 설명 중 가장 옳은 것은?

① 보험료는 민간보험은 개인이, 사회보험은 정부가 부담한다.
② 사회보험은 기본적으로 연대의 정신에 기반하지만 민간보험은 영리가 주된 목적이다.
③ 가입에 있어서 민간보험은 주로 강제적이나 사회보험은 능력의 원칙에 따른다.
④ 민간보험과 사회보험 간에는 공통점이 존재하지 않는다.

06 | 미국과 쿠바의 의료에 대한 서술 중 옳은 것은?

① 미국 의료보험은 기본적으로 시장에 기반을 두고 있다.
② 쿠바에서 의료에 대한 책임은 가족에 두고 있다.
③ 쿠바에서의 의료는 민간보험에 대부분 의존하고 있다.
④ 미국에서는 공공보험 측면에서 의료보장 혜택을 받는 사람
이 존재하지 않는다.

07 | 연금제도와 관련한 내용 중 옳은 것은?

① 공적 연금제도는 영국에서 처음 시작되었다.
② 사회민주주의 유형의 복지국가일수록 국민연금 가입과 탈퇴
가 훨씬 자유롭다.
③ 소득이 없는 노후를 대비한 국민연금은 일종의 사회적 저축
이라고 볼 수 있다.
④ 국민연금은 자율적 가입이 원칙이다.

08 | 다음의 사회보험과 공공부조(공적부조)에 대한 서술 중 틀린 것은?

① 공공부조와는 달리 사회보험은 자산조사가 필수적이다.
② 공공부조는 스티그마를 형성한다.
③ 공공부조는 전액 조세로 재원이 충당된다.
④ 사회보험의 주체는 국가이다.

09 | 산재와 산재보험에 대한 서술 중 가장 옳은 것은?

① 산재보험은 노동조합과 깊은 연관이 있다.
② 산재보험은 정부와 회사의 시혜로 주어졌다.
③ 산업재해에 대한 공적 대응인 산재보험제도는 대체적으로 사회보험 중에서 가장 늦게 도입되었다.
④ 베버리지 보고서에서는 산업재해를 사회보험의 영역에서 제외하려고 했다.

10 | 산재보험제도에 대한 서술 중 가장 적절한 것은?

① 산재보험의 도입에 있어서 노동조합의 역할은 미미했다.
② 산재보험 도입 초기에는 산업재해 발생의 원인과 책임을 노동자가 입증해야만 했다.
③ 산재보험은 과실책임주의이다.
④ 대부분 국가의 사회보험 중 가장 늦게 도입되었다.

11 | 사회보험 중 가족에게 지워진 노인 부양의 짐을 사회가 나누어 '품앗이' 하겠다는 취지에서 2008년부터 시행된 제도는 무엇인가?

① 장기요양보험제도   ② 고용보험제도
③ 국민연금제도   ④ 기초생활보장제도

21강 사회복지 대상과 분야(1)

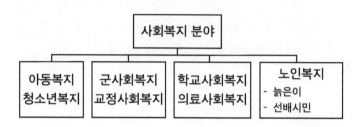

NOTE 사회복지 실천현장의 의미

▪ 사회복지 실천이 이루어지는 분야

: 서비스의 초점이 되는 문제영역, 대상집단을 포괄

: 직접적·간접적으로 서비스 제공과 관련된 모든 현장과 분야

: 물리적 장소 이상의 개념

(KEY 01 사회복지 실천현장의 분류

1. 기관의 기능 및 목적에 따른 분류

① 1차 현장

- 사회복지서비스 제공이 기관의 일차적 기능
- 사회복지사가 중심
- 지역사회 노인복지관, 사회복귀시설 등

② 2차 현장

- 기관의 일차적 기능은 별도로 존재
- 필요에 의해 서비스 제공
- 의료기관/병원, 교정시설/교도소, 학교, 주민센터

2. 기관의 설립주체와 재원 조달방식에 따른 분류

① 공공기관

② 민간기관

3. 서비스 제공방식에 따른 분류

① 행정기관

② 서비스 기관(클라이언트에게 직접 서비스 제공 목적)

4. 주거시설의 제공 여부에 따른 분류

① 생활시설(주거서비스 제공)

② 이용시설(주거서비스 제공하지 않음)

$\bigcirc$ KEY 02 아동복지

1. 아동복지의 개념
① 모든 아동의 사회적 위험에 대한 공적 대응
• 사회적 임금을 통해 복지권을 강조하여 시민의 일원으로 성장하도록 하는 전문적이고 조직적인 활동
• 아동에 대한 법적 정의는 일원화되어 있지 않음
: 아동복지법은 18세 미만으로 규정
: 일반적으로 태아에서 18세 미만
• 사회적 약자인 아동을 보호하는 것에서 아동의 권리를 강조하는 방향으로 변화되어 옴

2. 권리의 주체와 조건의 평등
① 아동권리에 관한 제네바 선언(1924)
② 국제연합의 아동의 권리선언(1959)
③ 아동의 권리에 관한 국제협약(1989)
④ 한국의 아동복지법
• 아동의 이익 최우선, 어떠한 차별도 받지 않음
• 안정된 가정환경에서 행복하게 성장해야 함

3. 아동복지와 민주주의
① 아동복지 실행으로 계급격차 감소 및 계급이동이 가능하여 민주주의 최소 원리인 기회평등 보장
② 민주주의 의식 향상 및 민주주의 학습

$\bigcirc$ KEY 03 청소년복지

1. 청소년

① 청소년기본법

• 9세 이상부터 24세 이하

• 급격한 변화의 시기(과도기)

: 의존과 독립 공존, 규제와 자율이 동시에 부여되는 시기

② 청소년기 사회적 위험

• 빈곤의 문제, 교육 불평등, 청년 실업 등

• 청소년의 사회적 위험은 이후의 삶에 부정적 영향을 줌

③ 현재의 청소년 정책

• 요보호 청소년에 집중, 청소년 비행과 범죄에 초점

• 전체 청소년 대상 및 사회체계에 대한 접근이 필요함

QUIZ　**35** 사회복지 실천현장을 기관의 기능/목적에 따라 분류할 때 2차 현장과 거리가 먼 것은?

① 종합사회복지관　　　　　② 교정시설

③ 학교와 병원　　　　　　④ 보건시설

C KEY 04 군사회복지와 교정사회복지

1. 군사회복지
① 목표
• 군인과 그 가족의 삶의 질 향상과 이를 통한 군대의 목표 완수가 가능하도록 하는 사회복지적 개입

2. 교정사회복지
① 목적
• 반도덕성과 반사회성 개선 및 사회적응력 향상을 통해 재범 방지 및 사회복귀에 도움을 주는 것
② 교정사회복지의 시작
• 처벌 중심의 형벌제도에 대한 비판으로 시작됨
: 사회적 책임 측면을 고려
• 우리나라는 1980년대 초반부터 이루어지기 시작함

36 사회복지사가 클라이언트의 비행이나 범죄에 대한 원인을 밝히고 문제의 요인을 제거하기 위하여 상담과 교육을 실시하는 사회복지 영역은?

QUIZ

① 학교사회복지   ② 교정사회복지
③ 의료사회복지   ④ 정신보건사회복지

(KEY 05 학교사회복지와 의료사회복지

1. 학교사회복지
① 주된 실천 장소
• 학교라는 공간을 통해 이루어지는 실천
② 목적
• 협의적으로는 학교생활 부적응 학생을 돕는 치료적·예방적 실천활동
• 광의로는 학교교육의 본질적 목적 달성
③ 1900년대 초 뉴욕과 보스턴, 하트퍼드에서 시작됨

2. 의료사회복지
① 의료기관에서 질병의 치료와 더불어 환자 및 가족의 심리·경제적 문제 원조
• 의료문제는 의학의 문제이자 사회의 문제
: 질병치료의 생의학적 접근의 불완전성에 따른 심리사회적 접근이 필요함
② 사회문제로서의 의료문제 관점
• 정책적 관점은 국가책임을 강조하고 예방과 건강증진을 목적으로 함
• 전문기술적 관점에서 심리사회요법의 서비스로 개인을 치료

$\Large C\,$KEY 06　노인복지

1. 노인문제
① 의료기술 향상, 기대수명 증가, 저출산으로 고령화 사회 진입에 따른 노인문제 대두
• 고령화 사회(7%), 고령 사회(14%), 초고령 사회(20%)
• 소득감소에 따른 경제적 곤란(노인빈곤율 증가), 역할 상실, 소외와 고독문제, 건강 악화, 세대 간 갈등
② 우리나라는 노인문제를 주로 사적 영역인 가정에 맡겨 둠

2. 노인에 대한 상이한 시선
① 노인(the older)
• 나이 많은 사람을 지칭하는 중립적 표현
② 노인네, 노친네(the elderly)
• 다소 부정적 의미
③ 선배시민(senior citizen, 원로시민)
• 노인을 한 사회의 시민의 관점에서 재해석하는 시도
: 후배시민, 공동체와 소통하며 참여하는 존재
: 노인들의 적극적 사회참여를 표현
: 노인은 기여에 해당하는 만큼 후세대의 대우를 받아야 함
: 노인은 돌봄의 대상이 아니라 돌봄의 주체임을 내포
: 노인은 사회의 주체임을 표현

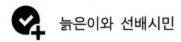 늙은이와 선배시민

	늙은이	선배시민
정체성	돌봄의 대상	공동체를 돌보고 변화를 만드는 주체
인식	늘 그런 이	본질을 묻는 노인
태도	체념과 숙명	비판, 관계와 구조 변화
위험의 원인	개인	국가와 사회
실천	순응	관계와 구조의 변화
제도	잔여적 복지	제도적 복지
집의 유형	연민의 집	국민의 집

QUIZ **37** 다음 중 선배시민과 관련하여 가장 거리가 먼 설명은?

① 후배시민과 더불어 공동체의 일에 참여한다.

② 이기적이고 처세에 능한 노인들이다.

③ 적극적으로 사회참여를 한다.

④ senior citizen을 번역한 말이다.

21강 ‖ 문제풀이 연습

01 노인을 늙은이와 선배시민으로 나누어 생각해 볼 수 있다. 다음 중 이와 관련한 서술 중 가장 적절한 것은?

① 처세에 능하고 노련한 노인들의 모습을 표현한 것이 선배시민이라고 볼 수 있다.

② 선배시민은 시니어 시티즌(senior citizen)을 번역한 것이다.

③ 늙은이는 돌봄의 주체로 인식된다.

④ 공동체의 일에 적극적으로 참여하는 민주적 모습을 나타낸 것이 늙은이라고 볼 수 있다.

02 선배시민에 대한 다음 서술 중 틀린 것은?

① 선배시민은 junior citizen의 번역어이다.

② 노인들의 적극적인 사회참여를 표현한 것이다.

③ 자신의 가족을 넘어서서 공동체와 후배시민들을 위해 헌신한다.

④ 제도적 복지와 깊게 관련되어 있다.

03 | 늙은이와 선배시민에 대한 내용 중 틀린 것은?

① 선배시민은 돌봄의 주체로 인식된다.

② 선배시민은 공동체에 참여하는 민주적 노인을 표현한다.

③ 늙은이는 senior citizen의 번역어이다.

④ 선배시민은 사회권을 적극적으로 지지하는 시민이다.

04 | 다음 중 노인에 대한 관점이 다른 하나는?

① 노인은 한 사회의 선배시민으로서 그 지역과 공동체 문제를 해결하기 위해 적극적으로 참여해야 한다.

② 노인은 사회적 약자이기 때문에 돌봄의 대상이다.

③ 노인들 간의 소득 수준 차이가 발생하는 근본적 원인은 노인들의 근면성 및 성실성과 관련된다.

④ 노인들은 정치현안에 대해 개입해서는 안 된다.

05 | 다음 중 아동의 복지는 시장과 가정이 충족시키지 못하기 때문에 발생하는 아동들의 욕구에 대해 공적으로 대응하는 것이라고 보는 시선은?

① 자유주의   ② 사회민주주의

③ 사회주의   ④ 자본주의

06 | 다음 중 아동복지에 대한 서술 중 부적절한 것은?

① 아동복지법에서는 아동을 18세 미만으로 규정하고 있다.

② 아동복지 서비스는 아동을 사회적 약자로 보호하는 것에서 아동을 권리의 주체로 보고 아동의 권리를 중심에 두는 방향으로 바뀌어 왔다.

③ 아동복지란 아동의 권리, 특히 복지권을 강조하는 사회복지의 한 분야이다.

④ 아동복지의 위상은 민주주의 진전과는 무관하다.

07 | 노인을 늙은이와 선배시민으로 구분할 때, 이 두 개념에 대한 다음 서술 중 가장 옳은 것은?

① 후배시민을 돌보는 주체가 되는 것이 선배시민이다.

② 선배시민은 노인과 늙은이 중에서 늙은이에 더 가깝다고 볼 수 있다.

③ 지혜로운 사람의 상징과 늙은이는 깊은 관련이 있다.

④ 나이가 한 살이라도 많은 사람을 지칭하는 것이 선배시민이다.

08 | 다음 중 선배시민의 활동과 성격이 다른 하나는?

① 적극적인 정당활동   ② 의회모니터링 활동
③ 학교 앞 교통정리   ④ 참여예산제도에 적극적 참여

09 학생, 학교, 지역사회의 연계를 통하여 학생의 심리·사회적 문제를 예방 및 해결하며 모든 학생이 자신의 잠재력을 발휘할 수 있도록 도와주는 사회복지 실천분야는?

① 교정사회복지　　　　　② 학교사회복지
③ 노인복지　　　　　　　④ 가족복지

10 선배시민에 대한 서술 중 가장 옳은 것은?

① 더 나은 공동체를 상상하고 실천하는 존재이다.
② 위험의 원인을 개인에게서 찾는다.
③ 후배시민과는 무관하게 이기적으로 행동한다.
④ 성공한 노화, 즉 successful aging을 번역한 것이다.

11 다음 중 아동의 권리로 볼 수 없는 것은?

① 생존권과 교육권　　　　② 복지권과 참정권
③ 시민권과 자유권　　　　④ 성장발달권 및 문화향유권

12 고령 사회(aged society)로 규정하는 총인구 중 65세 이상의 노인인구가 차지하는 비율은?

① 20%　　　　　　　　　② 5%
③ 14%　　　　　　　　　④ 7%

◯13 한국의 노인에 대한 다음 설명 중 사실과 가장 거리가 먼 것은?

① 노인은 의식의 변화가 가능하지 않기 때문에 노인복지는 빈곤한 상태에 놓인 노인만을 돌보면 된다.

② 한국의 노인들은 반공주의자와 산업역군으로서의 국민교육을 주로 받았기 때문에 사회복지에 대하여 대체로 부정적으로 이해하고 받아들이는 경향이 있다.

③ 한국의 노인들은 오랫동안 정치에 대한 중립적 태도를 견지하고 선성장 후분배를 지지했으며 비판하는 것에 대하여 부정적으로 생각했다.

④ 선배시민은 공동체의 참된 의미를 묻고 후배시민과 공동체를 돌보는 주체이다.

◯14 서유럽 노인들과 비교하여 한국의 노인들이 갖는 특성으로 볼 수 있는 것은?

① 소득 수준이 낮고 지역사회 참여에 소극적이다.

② 자원봉사에 참여하는 비율이 높다.

③ 정치참여가 매우 활발하다.

④ 지역사회 참여에 적극적이고 소득 수준이 높다.

22강 사회복지 대상과 분야(2)

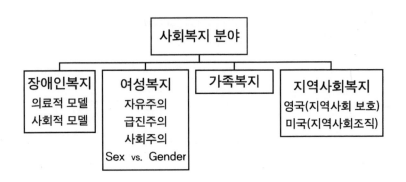

NOTE 자원봉사에 대한 두 가지 관점

▪ 선별적 복지에 기반을 둔 봉사형 자원봉사(오드리 헵번)

: 자원봉사를 자선과 봉사로 봄

: 자선조직협회의 전통을 따름

: 약수터 청소, 박물관 안내, 독거노인에게 도시락 배달 등

▪ 보편적 복지를 향한 권리형 자원봉사(헬렌 켈러)

: 사회의 구조적 위험에 맞서 싸움(인식 전환과 정책 제안)

: 권력관계의 변형에 기여함

: 인보관 운동의 전통에 따름

KEY 01 장애인복지

1. 장애의 개념
① 장애인복지법
• 신체·정신적 장애로 일상생활과 사회생활에 제약을 받는 자
: 신체·심리 구조나 기능의 일부를 상실한 손상(impairment)의 개념으로 정의함
② 세계보건기구의 장애분류모델
• 장애가 환경과의 관계에서 규정됨
: 환경과 개인의 상황적 요인, 사회적 맥락을 강조

2. 장애에 대한 사회적 대처 변화
① 개별적·자선적 접근에서 사회적·제도적 접근으로 변화
• 개별 및 의료모델에서 사회적 및 환경 중심 모델로 변화
• 분리패러다임에서 통합패러다임으로 변화
• 개별적 책임에서 사회적 책임으로 변화
• 전문가 주도에서 당자자 주도로 변화

장애에 대한 의료적 모델과 사회적 모델

개인적·의료적 모델	사회적·환경적 모델
• 장애를 손상으로 봄 : 신체적·정신적 문제 : 결핍과 부족의 문제 • 장애 문제의 원인은 개인의 장애로 봄 • 비정상인을 정상인화 • 해결책은 손상에 대한 개인의 장애 치료·재활 • 전문가주의 • 분리패러다임 • 개별책임	• 손상(기능상실)과 장애 구분 : 손상을 장애로 인식하는 것을 비판함 • 장애 문제의 원인을 사회의 편견과 차별로 봄 • 해결책은 사회구조적 편견 해소와 차이 수용 • 당사자주의 • 통합패러다임 • 사회책임

QUIZ **38** 다음 중 사회적 장애모델과 거리가 먼 것은?

① 장애는 당사자의 문제가 아니라 사회의 문제이다.

② 의사와 전문가의 결정에 전적으로 따른다.

③ 손상과 장애는 구분되어야 한다.

④ 장애를 역사적·사회적·정치적 맥락에서 이해해야 한다.

$\mathbb{C}$KEY$_{02}$ 여성복지

1. 여성복지의 전제와 개념
① 성차별주의의 지속과 여성의 열등한 위치
- 전통적 성역할에 따른 고정관념에서 비롯됨
- 빈곤의 여성화 심화와 심각한 가정 내 폭력과 성폭력
② 여성복지는 여성의 인간다운 삶을 보장하기 위한 활동

2. 한국의 여성복지(잔여주의적 복지제도)

1950년대	• 전쟁 미망인·고아의 발생으로 여성문제 대두
1960년대	• 윤락행위 등에 관한 방지법 • 부녀상담소, 부녀복지관 • 부랑여성과 근로여성에 집중
1970년대	• 남녀평등과 여성의 발전문제 대두
1980년대	• 여성지위 향상과 복지증진제도의 획기적 개선 • 여성개발원 설립, 여성정책심의위원회 설치 • 남녀고용평등법 • 여성문제 전담부서, 모자복지법
1990년대	• 여성발전기본법 • 성폭력범죄 피해자 보호 등에 관한 법률
2000년대	• 양성평등화 위한 여성부 신설

이중의 성과 여성억압

- 두 개의 성(性)
: 생물학적 성(sex) - 유전적·신체적 특성에 기반
: 사회적 성(gender) - 여성은 태어나기보다 만들어짐

남성성	• 이성, 객관, 공적(공공성), 자율성, 자기 자신 • 격투기, 학생회장, 우주비행사
여성성	• 감성, 주관, 사적, 의존성(수동성), 타자 • 간호사, 보모, 수중발레

- 여성억압을 바라보는 시각

자유주의 페미니즘	• 법적·사회적 제도의 기회불평등이 원인 • 사회관습 개선과 법과 제도의 개정을 통해 평등의 기회부여로 문제해결 • 여성문제를 개인의 문제로 보는 경향 • 잔여주의 수준(취약한 여성에 집중)
급진주의 페미니즘	• 가부장제가 원인 • 기존의 가부장제에 대한 저항과 철폐에 의해 문제해결

사회주의
페미니즘
	• 자본주의와 가부장제의 결합과
	  상호작용에 의한 성별 분업 및 차별
	• 자본주의 체제와 가부장제 구조의 동시적
	  타파로 문제해결

KEY 03 가족복지

1. 가족
① 가장 근본적이고 중요한 단위
- 일차적 교육, 노동력의 생산과 재생산
- 한 사회의 소우주
② 가족의 형태와 기능 변화
- 가족의 유형과 구성이 다양화됨
- 가족 내에서의 다양한 가족 가치와 생활 모습
- 가족은 동질적 집단이라기 보다 다양한 욕구를 지닌 개인들의 집합적 연대체로서의 성격이 강함
③ 가족의 돌봄 기능의 변화와 돌봄의 사회화
- 여성 중심에서 여성과 남성, 가족과 사회, 국가의 책임으로 변화됨
④ 가족복지
- 가족 구성원 개개인에게 초점을 맞추는 것이 아니라 가족 전체를 하나의 대상으로 개입

QUIZ **39** 다음 중 여성억압의 원인을 법적 제도의 기회불평등에서 찾는 시각은?

① 자유주의 페미니즘 ② 사회주의 페미니즘
③ 급진주의 페미니즘 ④ 생태학적 페미니즘

KEY 04 지역사회복지

1. 지역사회복지
① 특성
- 개인이나 가정복지보다 더 넓은 차원
- 대상층 중심의 복지보다는 지역성이 뚜렷함

2. 영국의 지역사회복지
① 지역사회 보호의 개념
- 지역사회를 하나의 자원으로 보고 지역사회와 사회보호를 결합시킨 사회복지 실천
- 요보호대상자를 시설보호에 맡기기보다는 지역사회에 통합

3. 미국의 지역사회복지
① 지역사회조직의 개념
- 지역사회 수준에서 전개되는 활동
- 사회복지사를 중심으로 좀 더 조직적이고 추구하는 변화에 대해 의도적, 계획적이며 과학적 지식과 기술을 사용
- 고대 자연발생적 민간활동(품앗이, 두레 등)에서부터 오늘날 민간 자선활동, 지역개발운동 등을 내포하는 포괄적 개념

22강   문제풀이 연습

01 자선봉사를 바라 보는 자선의 관점과 권리의 관점 중 권리의 관점과 가장 거리가 먼 것은?

① 사회의 구조적 위험에 대항하여 싸우는 용사와 같은 존재가 자원봉사자이다.

② 자원봉사는 인보관 운동의 전통을 따라 이루어져야 한다.

③ 자원봉사는 자선과 시혜이다.

④ 정치활동이나 노동운동 등을 통하여 권력관계를 변화시키는 데 기여하는 존재가 자원봉사자이다.

02 장애모델에 대한 설명 중 가장 타당한 것은?

① 사회적 모델은 손상과 장애를 구분하고 손상을 장애로 인식하는 사회를 비판한다.

② 의료적 모델은 장애인에 대한 차별과 억압의 사회적 구조를 변화시키려고 한다.

③ 장애문제의 해결을 치료와 재활로 국한해서 접근하는 것이 사회적 모델이다.

④ 장애의 원인을 사회적 편견과 사회의 차별적 태도에 있다고 보는 것이 의료적 모델이다.

03 젠더(gender)에 대한 관점과 가장 거리가 먼 것은?

① 성이란 태어날 때부터 정해지는 것이다.
② 남성성은 공적, 객관, 이성, 자율성과 연관된다.
③ 남성성의 영역은 우주비행사, 격투기 등이고 여성성의 영역은 수중발레, 보모, 간호사 등이다.
④ 여성은 여성이라는 존재로 태어나는 것이 아니라 사회적으로 만들어지는 것이다.

04 다음 장애모델에 대한 설명 중 성격이 다른 하나는?

① 치료와 재활이 장애문제 해결의 핵심이다.
② 정상인에 근접시키기 위해 노력한다.
③ 손상과 장애를 구별하고 있다.
④ 손상에 관심을 갖고 치료에 집중한다.

05 자원봉사에 대한 관점 중 성격이 다른 것은?

① 자원봉사는 자선조직협회의 전통을 따라 이루어져야 한다.
② 빈곤문제를 해결할 사회적 인식의 전환과 정책들을 제안하기 위해 노력해야 한다.
③ 자원봉사는 봉사와 시혜의 아름다운 행위이다.
④ 도시락 배달, 약수터 청소, 박물관 안내 등을 자원봉사자는 담당해야 한다.

06 | 다음 중 장애인과 관련된 사회복지에 대한 설명 중 틀린 것은?

① 손상은 어느 시대에나 존재했지만 이것이 다루어지는 방식은 모두 다르다.

② 장애인은 신체나 정신에 손상이 있지만 이것이 인간의 권리와 인격적 손상을 의미하지는 않는다.

③ 장애에 대한 의료적 모델은 정상인의 신체를 기준에 놓고 장애인을 치료하는 경향이 있다.

④ 사회적 장애모델은 주로 손상에 대해 관심을 갖는다.

07 | 다음 사회복지 대상에 대한 서술 중 틀린 것은 ?

① 장애인사회복지는 장애인의 존엄과 권리를 위해 노력하는 것이다.

② 청소년사회복지는 주로 청소년들의 취업에 초점을 두고 실업교육을 하는 것이다.

③ 노인사회복지는 노인에게 발생하는 사회문제를 예방하고 해결하려는 것이다.

④ 아동사회복지는 가족의 양육 기능을 국가가 지지·보완·대리하는 것이다.

08 장애모델에 대한 다음 서술 중 사회적 장애모델과 가장 관련이 깊은 것은?

① 사회적 환경과 구조를 장애의 원인으로 생각하는 경향이 있다.

② 손상과 장애를 특별히 구분하지 않는다.

③ 의사나 전문가의 역할을 강조한다.

④ 장애문제의 원인으로 개인의 의지 부족을 주장한다.

09 성(性)에 대한 다음 서술 중 그 성격이 나머지 세과 다른 하나는?

① 젠더는 사회적으로 만들어진 것이다.

② 여성성은 주관, 감성, 타자, 의존성과 관련된다.

③ 여성은 여성으로 태어나는 것이 아니라 만들어진다.

④ 성(여성, 남성)은 원래부터 타고난 나름의 특성이 있다.

10 다음 중 장애인에 대한 사회적 대처의 변화 방향에 대해 잘못 설명하고 있는 것은?

① 당사자 주도에서 전문가 주도로 변화

② 개별적·자선적 접근에서 사회적·제도적 접근으로 변화

③ 개별적 책임에서 사회적 책임으로 변화

④ 의료모델에서 사회적 모델로 변화

11 다음 중 사회적 성(젠더, gender)의 관점과 가장 거리가 먼 것은?

① 여성은 태어나는 것이 아니라 만들어지는 것이다.

② 남성성은 공공성, 객관성, 이성, 자율성과 관련이 있다.

③ 유전적·신체적 특징에 기반하여 성을 구분한 개념이다.

④ 남성우위의 사회적 필요성으로 인해 여성에 대한 차별이 만들어졌다.

12 다음 설명 중 사실과 가장 거리가 먼 것은?

① 급진주의 페미니즘은 가부장제를 여성억압의 근본적 원인으로 본다.

② 사회주의 페미니즘은 여성 억압의 근원을 젠더와 계급간의 양자에서 설명한다. 즉, 자본주의 경제생산구조와 가부장제의 상호작용으로 여성 억압을 바라본다

③ 미국에서의 지역사회복지는 지역사회 보호의 개념으로 쓰인다.

④ 가족복지는 가족 구성원 개개인에게 초점을 맞추는 것이 아니라 가족 전체를 대상으로 다루어 개입한다.

23강 사회복지의 실천과 기술

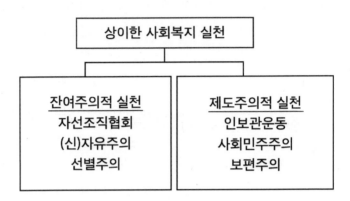

상이한 사회복지 실천

잔여주의적 실천
자선조직협회
(신)자유주의
선별주의

제도주의적 실천
인보관운동
사회민주주의
보편주의

NOTE 자선조직협회와 인보관운동의 대두

▪ 자선조직협회의 대두 배경

: 19세기 민간차원의 폭발적 자원봉사활동 증가에 따른 자선의
비효과적 측면을 조직화를 통해 해결하기 위해 대두

▪ 인보관운동의 대두와 목표

: 사회계층 간의 간격을 좁히고 인간의 가치 회복

CKEY$_{01}$ 사회복지 실천의 역사

1. 자선조직협회(Charity Organization Society, COS)
① 자선조직협회의 특성
- 개인적 속성을 사회문제의 원인으로 봄
- 구빈위원회, 우애방문원을 통해 구제
- 상류계층이 주요한 참여자
- 자선을 통한 빈민구제, 빈민개조, 빈민의 역기능 수정
- 사회복지협의회, 공동모금으로 발전
- 영국 런던의 COS, 미국 버팔로 COS, 일본 방면위원제도

2. 인보관운동(Settlement House Movement, SHM)
① 인보관운동의 특성
- 환경적 요소를 사회문제의 근원으로 봄
- 교육받은 중류층이 주요한 참여자
- 클라이언트를 이웃으로 생각하고 그들과 함께 거주
- 빈민생활의 개선이 목적임
- 사회개량과 사회개혁(기존 제도에 대한 비판과 혁신)
- 신뢰와 협동으로 연대하여 함께 지역사회 문제를 해결
- 주민교육, 문제대처능력 배양
- 미국의 집단사회사업으로 발전
- 영국 런던의 토인비 홀
- 미국 뉴욕의 네이버후드 길드, 미국 시카고의 헐 하우스

QUIZ **40** 다음 중 인보관과 가장 관련이 있는 것은?

① 가난은 개인의 책임이지만 일부는 불쌍하기 때문에 도움을 받아야 한다.

② 토인비 홀과 헐 하우스가 대표적이다.

③ 인보관 실천가들은 우애방문단으로 불리었다.

④ 자선조직협회의 일종이다.

QUIZ **41** 다음 중 인보관운동과 가장 거리가 먼 것은?

① 지역사회 도서관 조직과 주민교육

② 주민의 생활을 개선하기 위한 정책제안

③ 개인의 체육활동과 우애방문단의 조직

④ 지역사회의 조직화

QUIZ **42** 인보관운동(settlement house movement)의 특징으로 적합하지 않은 것은?

① 빈민생활 개선이 목적이다

② 최초의 인보관은 영국의 토인비 홀이다.

③ 클라이언트를 이웃으로 생각하고 그들이 생활하는 곳에서 함께 거주한다.

④ 미국의 개별사회사업발전에 결정적 영향을 주었다.

KEY 02 잔여주의적 사회복지 실천

1. 잔여주의적 실천의 이론적 기반
① 전통적 실천이론
- 정신역동모델 - 무의식 강조
- 심리사회모델 - 인접환경 강조
- 인지행동모델 - 왜곡된 인식이나 해석 강조
- 해결중심이론 - 원인보다 욕구에 초점, 단기해결

2. 잔여주의적 실천의 사정, 목표, 실천방법
① 사정
- 환경에 대처 못한 개인, 부적절한 상호작용
- 역할수행 능력 부재와 비현실적 역할 기대, 부정적 학습
- 대인관계 문제, 물질적 자원 부족, 사회적 고립과 지지 부족
② 목표
- 개인간 상호작용 및 갈등 해소, 스트레스 경감, 기대 수정
- 대인관계 개선, 사회적 지지 증가, 물질적 자원 제공
③ 실천방법
- 정서적 공감과 지지, 자기 자각 상담, 가족치료
- 수동적 자원활용, 기술, 훈련, 직접 원조
- 개인의 적응과 대처 전략

KEY 03 제도주의적 사회복지 실천

1. 제도주의적 실천의 이론적 기반
① 비판적 사회과학 패러다임
- 사회구조와 권력관계에 초점
- 인보관 운동
- 급진적 사회복지 실천 - 권력과 신념 비판
- 반차별적 실천 - 구조적 불평등에 집중
- 포스트모더니즘적 실천 - 담화에 내재된 억압 분석

2. 제도주의적 실천의 사정, 목표, 실천방법
① 사정
- 부적절한 사회경제 구조, 권력의 결여
- 이데올로기와 지배적 사회풍습에 의한 제한
- 사회적 낙인 과정
② 목표
- 피착취자의 권력 증진, 이데올로기 제약 완화, 착취 경감
- 권력 불균형 제거, 삶에 대한 변화와 통제력 향상
③ 실천방법
- 사회교육과 공감 및 지지, 비판적 자각, 적극적 자원 활용
- 변화와 통제를 가능하게 하는 전략

잔여주의에 대한 제도주의의 비판

- 사회문제의 개인문제화
: 사회문제와 위험을 구조와 권력관계서 설명하고 있지 못함
: 구조결정론을 과소 평가
- 착취와 억압의 지속
: 착취와 억압의 철폐에 관심을 두고 있지 못함
- 체제의 희생자를 비난함
: 희생자 비난으로 귀결

QUIZ **43** 다음 중 잔여주의에 대한 제도주의적 관점에서의 비판으로 옳은 것은?

① 사회체제의 희생자를 오히려 비난한다.
② 착취와 억압을 너무나 급진적으로 철폐하려고 한다.
③ 희생자보다 국가의 책임성을 너무 따지고 있다.
④ 구조를 너무 중시해서 개인을 보지 못하고 있다.

QUIZ **44** 제도적 복지실천의 특징으로 거리가 먼 것은?

① 부적절한 사회경제적 구조에 주목한다.
② 근접한 사회환경에 대처하도록 개인을 원조한다.
③ 대인관계문제는 사회적 낙인과정의 영향 때문이다.
④ 지배적 이데올로기로 인한 역할 제한이 문제이다.

⟳01 | 다음의 우울증에 대한 해석이 나머지 셋과 다른 관점에서 이루어진 것은?

① 그 사람의 과거 경험 때문에 우울하다.

② 가족 간의 원활하지 못한 의사소통이 우울증의 원인이다.

③ 회사 동료와 지역주민 간의 원만하지 못한 관계 때문에 우울하다.

④ 우울증은 개인적 문제로 전문적 상담을 받아야 한다.

⟳02 | 다음 중 교육과 관련하여 제도적 복지국가와 잔여적 복지국가에 대해 옳게 설명한 것은?

① 제도적 복지국가의 출발선은 잔여적 복지국가와 비교하여 더 차등적이고 차별적이다.

② 잔여적 복지국가와 비교하여 제도적 복지국가의 사회적 이동성은 더 높다.

③ 교육형태 측면에서 잔여적 복지국가는 제도적 복지국가에 비해 덜 경쟁적이다.

④ 개인의 교육비 부담 수준은 잔여적 복지국가에 비해 제도적 복지국가에서 더 높다.

○03 | 잔여적 사회복지의 실천과 가장 거리가 먼 것은?

① 온정적인 마음으로 어려움에 처한 사람들을 돕는다.
② 헌신과 봉사의 마음으로 사회복지를 실천한다.
③ 중복되고 누락된 서비스를 조정해서 취약한 계층을 중심으로 서비스를 적절히 공급한다.
④ 사회적 위험에 용감하게 맞서서 구조와 권력관계를 변형시키고자 한다.

○04 | 잔여주의와 제도주의에 대한 서술 중 틀린 것은?

① 사회적 위험에 맞서서 구조와 권력관계를 바꾸고자 하는 것은 제도적 실천에 가깝다.
② 제도적 실천은 개인적 속성을 문제의 원인으로 보는 반면 잔여적 실천은 사회적 구조와 환경을 문제의 원인으로 본다.
③ 잔여주의 실천은 근면, 자립, 자조 등을 통해 개인의 자존감을 회복시키고자 노력한다.
④ 스티그마(낙인감)를 시민의 권리에 반(反)하는 것으로 보고 이를 없애고자 노력하는 것은 제도주의에 가깝다.

○05 | 제도적 사회복지 실천목표로 부적절한 것은?

① 이념적 제약 감소시키기   ② 억압과 착취 감소시키기
③ 낙인의 영향 감소시키기   ④ 개인 간 상호작용 개선시키기

06 | 자선조직협회와 인보관운동의 차이를 잘못 설명한 것은?

① 자선조직협회는 빈민을 개조하여 문제를 해결하고, 인보관운동은 문제의 원인이 사회환경에 있으므로 사회질서를 바꿔야 한다는 입장을 갖고 있었다.

② 자선조직협회의 참여자(볼런티어)는 우애방문원, 부유한 상류층이다.

③ 자선조직협회는 토인비 홀을 중심으로 자원봉사자를 육성하고 주민의 참여를 확대시키면서 지역사회의 다양한 문제들을 해결해 나가려 하였다.

④ 인보관운동은 사회개혁과 사회운동으로 발전하였다.

07 | 잔여적 사회복지 실천과 제도적 사회복지 실천에 대한 다음 서술 중 가장 옳은 것은?

① 제도적 실천은 정신역동이론과 강점모델을 기반으로 한다.

② 잔여적 실천은 구조와 권력을 문제의 원인으로 본다.

③ 제도적 실천은 심리치료를 선호한다.

④ 잔여적 사회복지 실천의 이념적 기반은 자유주의이고 제도적 사회복지 실천의 이념적 기반은 사회민주주의이다.

08 | 자선조직협회와 인보관운동에 대한 설명으로 옳은 것은?

① 자선조직협회는 급진주의 사상에 그 기반을 두고 있다.
② 인보관운동은 사회문제의 원인을 개인적 속성에서 찾는다.
③ 자선조직협회는 빈민의 개조에 초점을 맞춘다.
④ 인보관운동의 참여자는 주로 교육받은 상류층 출신이다.

09 | 아래 제시된 설명 중 제도주의 관점과 관련된 것으로만 묶인 것은?

> ㉠ 실직자의 우울증은 사회적 낙인과 관련이 있다.
> ㉡ 저출산 문제의 발생은 여성들의 몸매관리 욕구와 밀접하게 관련되어 있다.
> ㉢ 입시지옥으로 인한 청소년 자살은 사회적 타살이다.
> ㉣ 학교폭력에 대한 문제해결을 위해 CCTV의 설치보다는 사회구조를 개선하려고 노력해야 한다.
> ㉤ 실직자의 우울증은 심리정서적 문제이며 입시스트레스로 인한 청소년 자살은 의지부족 때문이다.
> ㉥ 저출산 문제는 아이를 키우기 힘든 사회적 구조와 밀접하게 연관된다.

① ㉡, ㉢, ㉤, ㉥
② ㉠, ㉢, ㉣, ㉥
③ ㉠, ㉡, ㉢. ㉤
④ ㉢, ㉤, ㉥

⏻10 | 잔여주의 복지실천에 대한 비판으로 옳은 것은?

① 사회문제와 위험을 구조와 권력관계서 설명하고 있다.
② 구조결정론이다.
③ 희생자 비난으로 귀결된다.
④ 착취와 억압 철폐에 많은 관심을 두고 있다.

⏻11 | 다음 중 잔여주의적 사회복지 실천에 대한 비판과 가장 거리가 먼 것은?

① 잔여주의적 실천은 구조결정론이다.
② 잔여주의적 실천은 희생자 비난으로 귀결된다.
③ 잔여주의적 실천은 착취와 억압을 지속시킨다.
④ 잔여주의적 실천은 사회문제와 위험을 개인의 심리적 문제로 축소한다.

⏻12 | 사회복지정책을 만들고 실천한 것과 관련한 다음의 내용 중 옳은 것은?

① 인보관운동은 자선조직협회를 통하여 실천되었다.
② 다수파 보고서는 보편적 복지국가의 핵심 텍스트로, 소수파 보고서는 선별적 복지국가의 핵심 텍스트로 평가된다.
③ 토인비는 인보관운동의 이념을 실천하고자 노력했다.
④ 베버리지 보고서는 잔여적 복지국가의 구상을 완성한 것으로 평가된다.

○13 잔여적 사회복지실천과 가장 거리가 먼 것은?

① 문제의 원인으로 개인과 가족 및 인접환경 강조
② 실천 목표로 물질적 자원 제공, 대인관계 개선을 강조
③ 실천 방법으로 정서적 공감과 지지, 가족 치료 등을 강조
④ 사회적 낙인으로 인한 영향의 거부를 강조

○14 아래 제시된 선별주의와 보편주의에 대한 설명 중 옳은 것을 모두 고른 것은?

⊙ 자선조직협회는 보편주의와 깊은 연관이 있다.
ⓒ 시장자유주의 철학에 기반을 두고 있는 것이 선별주의이다.
ⓒ 조건의 평등보다 기회의 평등을 더 강조하고 이를 주요한 가치로 추구하는 것이 보편주의이다.
ⓔ 권력관계의 변형에 많은 관심을 가지고 있는 것이 보편주의이다.
ⓜ 페이비언주의와 깊게 연관이 있는 것이 보편주의이다.
ⓗ 선별주의는 경쟁보다 연대와 협동의 가치를 추구하며 문제의 원인을 개인보다 구조에 있다고 본다.

---

① ⓒ, ⓔ, ⓜ   ② ⓒ, ⓔ, ⓗ
③ ⊙, ⓒ, ⓒ   ④ ⓒ, ⓜ, ⓗ

15 잔여적 사회복지 실천과 제도적 사회복지 실천에 대한 다음 서술 중 사실과 가장 거리가 먼 것은?

① 잔여적 복지는 권력관계의 변형을 선호하고 제도적 복지는 심리치료를 더 선호한다.

② 잔여적 실천은 경쟁을 강조하고 제도적 실천은 연대와 협동을 지지한다.

③ 제도적 실천은 구조와 권력을 문제의 원인으로 본다.

④ 제도적 복지는 잔여적 복지보다 권력관계의 변화를 실천기술로 더 선호한다.

16 자선조직협회와 인보관운동에 대한 다음 설명 중 가장 옳은 것은?

① 인보관운동은 빈곤의 원인을 자립과 자립정신의 취약성에서 찾는 경향이 있다.

② 자선조직협회는 빈민지역에 들어가 거주하면서 빈민들 스스로 지역사회 문제를 해결할 수 있도록 도움을 주었다.

③ 인보관운동은 사회권과 연대성을 강조하는 경향이 있다.

④ 사회권은 자선조직협회가 인보관보다 더 강조하는 경향이 있다.

17 | 장애에 대한 다음의 관점들 중 다른 하나는?

① 장애를 스스로 극복한 훌륭한 모델인 닉 부이치치의 사례를 참고하여 장애에 대한 정책을 만들어야 한다.

② 시각장애인이 사회에서 가질 수 있는 직업은 직업안마사로 한정해야 한다.

③ 장애문제를 해결하기 위하여 국가가 개입하게 되면 장애인의 자립정신이 약화된다.

④ 청각에 손상이 있는 사람이 장애인이 되는 것은 청각의 손상 그 자체보다는 사람들이 수화를 배우지 않았기 때문이다.

18 | 수업시간에 어려운 문제를 냈더니 한국의 아이들은 각자가 풀었고 인디언 아이들은 함께 모여서 상의하면서 풀었다. 아이들의 태도에 대한 설명으로 바람직한 것은?

① 아이들의 태도는 고정된 것임을 보여 준다.

② 사회와 어른들의 문화와 태도에 따라 아이들이 영향을 받는 것을 암시하고 있다.

③ 한국의 아이들은 경쟁보다는 연대와 협동을 더 선호함을 보여주고 있다.

④ 인디언 아이들은 문제를 풀기 위해 서로 의존함에 따라 자립과 자조 정신이 결여되었음을 보여준다.

24강 한국의 복지정치

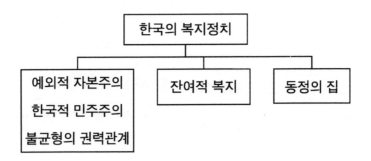

NOTE   한국 정치의 3대 특징

- 예외적 자본주의
: 발전국가와 재벌을 중심으로 함
- 노동배제의 한국적 민주주의
: 반공주의와 발전주의를 내용으로 함
- 불균형적 권력관계
: 압도적으로 우파 권력이 강함

C KEY 01 한국적 자본주의

1. 예외적 자본주의

① 서유럽 자본주의 특징

- 구체제에 대항하는 진보적 자본가의 존재
- 프로테스탄티즘(Protestantism)의 자본주의 직업윤리
- 의회민주주의를 통한 권력견제와 균형체제를 갖춘 정치
- 노동조합과 노동정당을 통해 노동자계급의 조직화

② 한국 자본주의의 특징

- 발전국가와 재벌 중심 및 노동자 배제
- 자본가(부르주아지, bourgeoisie)
: 일제 강점기와 미군정을 거치면서 성장
: 군부의 절대적 지원을 받으며 성장
: 발전국가에 순응하며 재벌체제 형성
: 경제성장의 지렛대 역할
- 노동자
: 노동자 스스로 노동자 계급을 조직화하지 못함
: 반공주의와 발전주의에 순응
: 노동자가 아닌 근로자, 산업전사, 실리적 조합원으로 포섭됨
: 빨갱이, 경제위기 주범, 이기주의자로 권력분배에서 배제

③ 시장형성적 권위주의

- 근대화의 주체는 발전국가와 재벌
- 노동배제와 권위주의적 조합주의
- 시장은 철저한 국가로의 자유 추구

KEY 02 한국의 예외적 자본주의에 대한 충격

1. 예외적 자본주에 대한 충격

① 민주화

• 1987년 민주화

: 호헌 철폐, 독재 타도를 실현하는 대표선출 방식에 개입하는 절차적 민주화에 머뭄

: 탈상품화나 계급갈등의 문제를 다루지 않음

• 1987년 노동자 대투쟁

: 민주노조 조직화에 성공

: 대기업 정규직 노동조합의 틀 속에서 경제적 이익을 위한 전투적 경제주의에 머뭄

② 세계화

• 김영삼 정부에서 본격적으로 시작

• 1997년 외환위기 이후 노동배제의 강제된 신자유주의 수용과 노동의 분절화

• 자본의 독자적 성장과 노동의 왜소화와 파편화

• 국가의 시장 종속, 시장 순응적 권위주의

QUIZ **45** 한국의 자본주의를 설명한 것 중 사실과 가장 거리가 먼 것은?

① 노동과 시민의 배제   ② 예외적 자본주의

③ 노동자 계급의 조직화   ④ 발전국가에 순응한 자본가

CKEY 03 한국적 민주주의

1. 한국의 민주주의

① 상품화의 정치를 지지

- 탈상품화 정치의 부재, 계급정치의 부재
- 실질적 민주주의의 부재
- 슈퍼재벌과 노동의 갈등에 대한 조정 역할을 못함

② 반공주의와 발전주의를 기반으로 함

- 근대화 담론과 반공주의를 통한 정치권력의 공고화
- 군부, 관료, 재벌 간의 지배연합 형성

③ 계급정치와 복지 및 사회권에 대한 부정적 규정

- 성장우선주의와 반공주의에 대한 반대로 규정
- 전쟁 정치의 보편화
- 노조와 시민단체는 복지국가 형성에 기여하지 못함
- 진보정당의 취약한 입지
- 노사정위원회, 노사민정위원회, 진보정당 의회진출 등의 타협의 정치를 담은 시도가 있었으나 여전히 진리의 정치가 주류를 형성함

KEY 04 한국 사회복지정책의 특징 요약

1. 한국의 사회복지정책 특징

① 선별주의적 철학과 취약한 복지세력

• 발전주의와 반공주의에 기반한 잔여주의적 사회복지제도

: 개인과 가족의 책임성에 기반

• 실질적 민주주의의 취약성

: 사회권이 취약한 민주주의

• 근대화와 성장제일주의

: '싸우면서 일한다'

: '선정상 후분배'

: '가난은 나라도 구하지 못한다'

② 한국 사회복지의 발전과 한계

• 1987년 민주화와 노동운동의 조직화

: 작업장 및 국가적 수준에서 사회복지가 발전하는 계기

• 1997년 금융위기

: 사회안전망 도입으로 사회복지의 근본적 발전 계기 마련

: 그러나 신자유주의와 제3의 길의 '일을 위한 복지'에 기반

: 임의적이고 잔여적 복지수준을 넘어서지 못함

: 조직된 시민의 실질적 참여가 취약함

: 삼자협의주의나 사회적 조합주의가 아닌 노동이 배제된
  형식적 거버넌스

CKEY 05 한국 사회복지정책의 기존 방향과 향후 대안

1. 한국 사회복지정책의 기존 방향과 내용
① 선별주의 철학
- 취약계층 중심의 잔여주의

② 정책결정 방식
- 조정과 협의 시스템의 취약성(시민참여의 부족)
- 관 주도(행정 주도)의 정책 결정과 집행

③ 대상 중심(노인, 아동 등)의 단편적 단순 서비스 제공

④ 시설과 기관 운영 중심의 복지정책

⑤ 분절적이고 파편적 서비스 전달
- 시설별, 기관별, 단체별로 개별 조직이 한정된 서비스 전달

⑥ 직접 서비스 중심

⑦ 사후적 구호 중심

2. 한국 사회복지정책의 발전 방향
① 대상 중심에서 사건 중심으로

② 이벤트성 단기적인 것에서 중·장기적인 사업으로

③ 취약계층 중심에서 일반 주민과 시민 중심으로

④ 시설과 기관 중심에서 지역사회 중심으로

⑤ 분절적·파편적 서비스 전달에서 총체적·체계적 전달로

⑥ 직접 서비스 중심에서 공공 인프라 구축 중심으로

⑦ 사후 구호와 치료에서 예방적 서비스로

한국의 복지국가가 만든 집 - 동정의 집

- 기본적 토양은 한국적 민주주의
: 발전주의, 반공주의, 유교주의, 신자유주의
- 양대 기둥은 발전국가와 시장
: 정글자본주의의 경쟁, 잔여주의적 복지기둥

QUIZ **46** 아래 그림에 대한 설명 중 가장 옳은 것은?

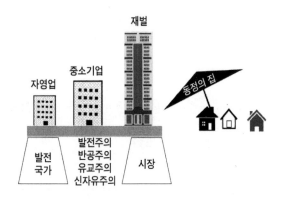

① 조합주의 복지국가보다 탈상품화 수준이 낮다.
② 위험에 대한 높은 가족의 책임으로 인하여 사회 전반의 계층화 수준이 상당히 낮다.
③ 경제성장보다는 사회적 안전을 우선시한다.
④ 미국의 복지국가유형을 그림으로 형상화한 것이다.

24강 || 문제풀이 연습

○ 01 | 한국의 복지국가 유형에 대한 다음의 서술 중 가장 옳은 것은?

① 재벌과 발전국가는 중심적 권력으로 존재하면서 경제성장을 위해 복지정책을 먼저 시행해야 한다고 보았다.

② 보편주의를 핵심적 기본이념으로 삼았다.

③ 박정희 정부가 추구한 한국적 민주주의는 서구 선진국의 자유권과 사회권의 도입을 적극적으로 지지했다.

④ 잔여적 복지 수준에 머물렀다.

○ 02 | 한국의 사회복지 특징에 대한 설명으로 틀린 것은?

① 발전국가의 성장제일주의 이데올로기로 인해 선성장 후분배의 원칙을 견지해 왔다.

② 한국의 사회복지는 취약계층 중심의 잔여주의적 특징을 가지고 있다.

③ 사회권과 계급문제를 둘러싼 타협의 정치가 확고하게 자리잡아 왔다.

④ 한국의 사회복지는 중앙집중적으로 짜여져 있어서 지역에서 할 수 있는 복지자원이 많지 않다.

03 | 한국적 자본주의를 서유럽 자본주의와 비교할 때, 다음 설명 중 가장 사실과 거리가 먼 것은?

① 한국은 근대화와 경제 측면에서 압축적으로 성장했다.
② 한국 자본주의 형성에 있어서 국가의 역할은 매우 컸다.
③ 한국에서 노동의 정치적 영향력이 상대적으로 작아서 노동의 역할은 미미했다.
④ 민주주의 형성에서 자본가들의 정치적 역할은 서유럽만큼 매우 컸다.

04 | 한국의 잔여적 복지 현상에 해당하는 것은?

① 사회권 확대 노력과 예방적 서비스 제공 시스템 구축
② 선분배 후성장 추구
③ 시장에서 경쟁력을 잃은 사람에 대한 가족의 책임
④ '가난은 나라가 책임진다'라는 의식의 폭넓은 수용

05 | 한국 사회복지의 발전방향에 대한 서술 중 가장 타당하지 못한 것은?

① 잔여적 복지에서 보편적 복지로 나아가야 한다.
② 중앙집중에서 지방분권으로 나아가야 한다.
③ 관주도에서 거버넌스로 나아가야 한다.
④ 참여적 복지에서 가정 주도 복지로 나아가야 한다.

○06 선별주의에 가까운 한국의 사회복지에서 보편주의로의 변화 방향을 제시할 때, 가장 적절하지 못한 것은?

① 사후적 구호와 치료에서 예방적 서비스로 나아간다.
② 직접 서비스 중심에서 공공 인프라 구축으로 나아간다.
③ 관주도에서 민간주도로 나아간다.
④ 취약계층 중심에서 일반 시민 중심으로 나아간다.

○07 한국의 복지국가 유형에 대한 서술 중 틀린 것은?

① 민주적 노조운동에 대하여 우호적이지 않았다.
② 1970년대의 박정희 정부가 추구한 한국적 민주주의는 보편적 복지의 이념을 담고 있다.
③ 반공주의와 발전주의가 핵심적인 기본이념이었으며 이를 통해 잔여적 복지를 추구했다.
④ 재벌과 발전국가가 중심적 권력으로 존재해 왔다.

○08 한국의 사회복지 특징에 대한 설명으로 옳은 것은?

① 노동조합은 보편적 복지의 가장 신뢰할 만한 세력으로 꾸준히 한국 사회에서 성장해 오고 있다.
② 경제정책보다 사회복지정책의 우선 순위가 낮다.
③ 잔여주의적 복지와 거리가 멀다.
④ 사회민주주의의 복지 철학을 기반으로 하고 있다.

09 │ 한국은 잔여적 복지라는 평가를 받아왔다. 다음 중 잔여주의적 현상과 거리가 가장 먼 것은?

① '가난은 나라도 구하지 못한다'는 생각이 받아들여졌다.
② 무상교육 등 사회권 확대를 위한 노력을 지속해 왔다.
③ 사전 예방적 서비스보다는 사후 구호 및 치료를 위한 시스템을 구축해왔다
④ 선성장 후분배, 즉 분배보다는 성장에 치중해왔다.

10 │ 한국의 복지국가 유형에 대해 가장 타당한 설명은?

① 한국의 복지에 대한 기본이념 중 가장 핵심적인 것은 사회민주주의였다.
② 한국은 정부 수립 초기부터 제도주의 복지를 구상했다.
③ 잔여주의, 가족과 동정의 집이라는 특징을 가지고 있다.
④ 박정희 정부의 한국적 민주주의는 서구의 자유권과 정치권 도입을 적극적으로 지지했고 보편적 복지 이념을 담고 있다.

11 │ 한국의 사회복지와 관련해 가장 옳은 설명은?

① 노사정의 사회적 조합주의 복지정책이 형성되었다.
② 사회민주주의와 자유주의 경합 속에서 정책이 형성되었다.
③ 거버넌스에서 관주도로 복지정책이 변화하고 있다.
④ 노태우 정부까지도 잔여주의 복지체제가 지속되었다.

○12 다음은 한국의 사회복지 방향을 나타낸 것이다. 나머지 세 개와 그 방향에 있어서 잘못 적은 것은?

	기존방향	향후 대안(발전방향)
①	대상 중심	사건 중심
②	이벤트성 사업	중·장기 사업
③	지역사회 중심	시설과 기관 중심
④	사후 구호와 치료	사전 예방

○13 다음 중 한국의 복지국가 유형에 대한 설명 중 가장 거리가 먼 것은?

① 발전주의와 반공주의를 토대로 하는 한국적 민주주의는 보편주의적 사회복지 추구를 억압했다.

② 한국의 발전국가는 복지보다는 성장제일주의를 더 우선적으로 추구할 가치로 삼았다.

③ 박정희 정부의 한국적 민주주의는 사회권 도입을 적극적으로 지지했다.

④ 사회의 중심적 권력으로 존재해 온 것은 노동이나 시민세력이 아닌 발전국가와 재벌이었다.

14 | 한국의 복지국가의 유형에 대해 틀린 설명은?

① 박정희 정부의 한국적 민주주의는 서구의 자유권과 정치권 등의 도입에 대하여 비판적 태도를 취했다.
② 민주적 노조운동에 대하여 매우 우호적이었다.
③ 한국적 민주주의의 핵심적인 기본이념은 반공주의와 발전주의였다.
④ 박정희 정부의 한국적 민주주의는 잔여적 복지를 그 이념으로 담고있다.

15 | 다음 중 한국의 사회복지 문제점이 아닌 것은?

① 사건 중심 　　　　② 단기적 치료 중심
③ 대상 중심 　　　　④ 시설 및 기관 중심

16 | 복지국가에 대한 서술 중 가장 거리가 먼 것은?

① 복지국가에서는 사회복지를 일종의 투자로 인식하는 경향이 있다.
② 반드시 최고의 성장기에만 복지국가를 만든 것은 아니었다.
③ 서유럽이 사회복지를 도입한 이유 중 하나는 동서 냉전기 사회주의 국가들과의 체제경쟁을 했기 때문이다.
④ 좌파정권에 의해서만 복지국가가 만들어졌다.

25강 한국의 노동정치

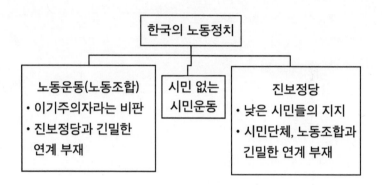

NOTE 서유럽과 한국의 복지권력 토대

▪ 서유럽

: 조직된 노동(노동조합과 노동운동)과 시민

: 진보적 정당과의 긴밀한 연계를 통한 복지국가 형성

▪ 한국의 취약한 복지권력 토대

: 시민 없는 시민운동과 대기업 중심의 실리적 노동조합

: 지지 기반 없는 진보개혁 정당

KEY 01 한국의 노동운동(1)

1. 승자독식의 시대(1945~1953)

① 불구화된 이념 지형의 형성

• 혁명적 노동조합주의와 반공적 노동조합주의의 경합

: 조선노동조합전국평의회(전평) vs. 대한노동총연맹(대한노총)

• 승자독식의 법칙

: 미군정의 지지를 받는 반공적 자유주의 세력이 독식

: 전평의 몰락과 대한노총의 배타적 지위

2. 1970년대의 이익과 인간

① 이념지형의 공고화와 저항

• 협조적 노동조합주의와 인간적 노동조합주의의 공존

: 한국노총 vs. 민주노조 진영

• 협조적 노동조합주의

: 국가 이익과 조합원의 이익

: 반공주의와 근대화 담론에 기반한 자유민주주의 질서 수호라는 국가 이익이 임금 문제에 국한된 조합원의 이익보다 우선시됨에 따라 노동자 내부로부터의 저항에 직면

• 인간적 노동조합주의

: 기독교 휴머니즘에 기반(인간과 인권)

: 국가의 이익을 넘어서는 조합원의 이익을 제기

: 인간 복원의 새로운 담론 제기와 전태일의 개인적 저항을 집단적 저항으로 승화, 기존 불구화된 이념에 흡집

KEY 02 한국의 노동운동(2)

1. 1980년대의 변혁과 개혁
① 양대 노총의 경합과 변형
• 실리적 노조주의
: 한국노총의 반공적·협조적 노동조합주의에서 실리적 노동조합주의로 변신
• 변혁적 노조주의
: 광주사태와 노동의 조직화
: 사회주의 이데올로기 흡수로 민주노조운동의 지평을 확장

2. 1990년대의 혼란과 분화
① 이념의 분화와 정체성의 딜레마
• 실리적 노조주의(자유민주주의)
• 사회개혁적 노조주의(사회민주주의)
• 변혁적 노조주의(사회주의)

C KEY 03 노동을 둘러싼 지배 담론

1. 산업화 시기의 노동운동
① 빨갱이
• 남북분단으로 인한 반공주의 담론의 영향으로 노동운동을 반(反)자유민주주의로 보며 민주노조를 공산주의로 간주하여 노동운동을 무력화시킴
• 민주화 이전 시기 가장 효과적 담론

2. 1987년 민주화 이후의 노동운동
① 경제위기 주범
• 발전주의 담론의 영향으로 노조의 파업이 경제위기를 초래하며 노동운동은 국민경제를 외면하는 행위로 간주됨에 따라 노동운동이 순화됨

3. 1997년 외환위기 이후의 노동조합
① 노동조합은 이기주의 집단
• 민주화 시기 노동운동 이미지는 순교자, 박해 받는 자, 의인
• 1997년 말 경제위기 이후 노동운동은 이기주의 집단, 귀족노조라는 담론들이 추가적으로 대두
② 빨갱이, 경제위기 주범, 이기주의 집단 담론은 공통적으로 지배세력 헤게모니를 강화함

영국과 한국의 진폐증을 둘러싼 직업병 정치

▪ 한국
: 진폐재해자들이 스스로 조직화하여 대응
: 특정 환자들만 대변하는 이익집단(진폐재해자협회)이 미시적
차원에서 자신들의 이익을 추구
: 노동조합과 진보정당의 역할은 미미함
▪ 영국
: 노동조합이 진보정당과 함께 적극적으로 대응
: 노조가 의료 전문가를 고용하여 자체 조사 및 의회에 압력을
넣음

QUIZ **47** 한국과 영국의 진폐증을 둘러싼 직업병 정치 의
차이에 대한 설명 중 가장 옳지 않은 것은?
① 영국의 경우 노동조합은 진보정당과 더불어 진폐증 문제에
대해 적극적으로 대응했다.
② 한국의 경우 진폐증 환자들이 스스로를 조직하여 대응해 왔
다.
③ 한국의 경우 미시적 차원에서 이익집단이 자신들의 이익을
추구해 왔다.
④ 영국의 경우 이익집단이 주도하여 전문적으로 의료적 문제
를 제기해 왔다.

ⓒKEY 04 한국의 사회단체와 진보정당

1. 한국의 사회운동 위기와 소통의 빈곤
① 사회운동 개혁가 집단 간의 소통 부재
• 각 정파의 이념은 전시, 홍보, 차별성, 결속 도모에 이용
: 공적 토론을 통한 활성화 부재
: 정책 형성의 지침으로 작용하지 못함
② 이념집단과 정책 간의 소통 부재
• 이념을 정책으로 전환하려는 노력을 게을리함
: '선언'만 존재하고 구체적 실천지침은 매우 빈약함
: 정책의 빈곤 상태
③ 개혁가 집단과 일반 시민 간의 소통 부재
• 사회운동과 대중 간의 빈곤한 소통
: 시민사회의 물적 토대 및 대항 헤게모니 구축 실패

2. 한국 사회운동단체의 현실
① 취약한 재정과 시민들의 무관심
• 국민빈곤선을 넘지 못하는 임금 수준
• 취약한 시민들의 관심과 지지도

C^{KEY}_{05} 한국의 노동운동, 시민운동, 진보정당 요약

1. 서유럽의 복지국가
① 조직된 노동과 시민
• 복지국가 형성과 운영의 핵심 주체
: 복지정치에 적극적으로 개입하여 정치 및 사회조직을 통해 자신들의 욕구를 관철시킴
: 진보정당을 창당 및 연계하여 욕구를 실현함

2. 한국
① 노동운동
• 기업별 노동조합으로서 조합원의 이익에만 매몰된 이기주의자라고 비판받음
: 영향력 있는 노동조합은 대기업 정규직에 기반함
: 노조에 우호적인 정당과 긴밀하게 연결되어 있지 않음
② 시민운동
• 시민참여 없는 시민운동이라고 비판받음
③ 진보정당
• 시민들의 지지를 얻지 못함
• 시민단체 및 노동조합과 긴밀한 연계를 맺지 못함

25강   문제풀이 연습

○01 한국의 시민운동과 노동운동에 대한 설명 중 사실과 가장 거리가 먼 것은?

① 한국사회에서의 노동운동은 사회권(복지권)을 관철하는데 한계를 갖고 있다.

② 시민운동가들은 취약한 재정으로 인해 생활상의 어려움에 처해 있다.

③ 노동운동은 귀족노조, 집단이기주의라는 비판을 받고 있다.

④ 일반시민들의 관심과 참여는 높지만 사회활동가가 적어서 시민운동은 위기에 놓여 있다.

○02 한국의 사회복지에 대한 설명으로 틀린 것은?

① 진보정당은 조직노동과 긴밀하게 연계되어 있지 않다.

② 조직노동과 시민들은 정당을 이념과 정책보다는 사회적 이슈나 지역, 학연 등으로 지지하는 형태를 보여왔다.

③ 복지국가 형성의 추진력인 노동조합, 시민단체, 진보정당과 시민들의 지지가 매우 견고하게 연계되어 있다.

④ 시민운동 활동가들은 취약한 재정과 시민사회의 무관심 속에서 매우 고독한 길을 걸어가고 있다.

03 한국의 노동운동에 대한 다음의 설명 중 사실과 가장 거리가 먼 것은?

① 노동운동은 대기업 정규직 중심의 노동조합으로 조직화하였다.

② 조직노동은 진보적 정당 형성에 크게 기여하지 못했고, 그에 따라 서유럽에서 형성된 복지국가처럼 사회 권력의 한 축이 되지 못했다.

③ 노동운동의 초기부터 산별노조를 형성하여 동일노동 동일임금을 지속적으로 추구해 왔다.

④ 현재 한국의 조직노동은 경제위기의 주범, 빨갱이, 이기주의자라는 정치적 낙인이 찍혀 있다.

04 한국과 영국의 진폐증을 둘러싼 대응에 대한 다음의 설명 중 가장 옳지 않은 것은?

① 영국과 비교하여 한국에서의 노동조합은 진폐문제 해결에서의 역할이 크지 않았다.

② 영국은 진폐증에 대해 이익집단이 적극적으로 주도하여 정책을 만들어 왔다.

③ 한국은 진폐재해자들이 스스로 관련 단체를 조직하여 대응해 왔다.

④ 영국은 진폐문제에 대하여 노동조합이 진보정당과 연계하여 적극적으로 대응해 왔다.

O05 한국의 노동운동이 복지국가 형성에 깊이 관여하지 못한 원인에 대한 설명 중 사실과 가장 거리가 먼 것은?

① 노동조합이 양대 노총으로 분열되었고 노조 조직률도 매우 낮은 상황에서 사회정책에 효과적으로 개입하지 못했기 때문이다.

② 민주화 이후 만들어진 민주노총이 '선근대화 후사회복지'라는 신념을 가지고 근대화에 적극적으로 협조했기 때문이다.

③ 기업별 노조로 조직되어 노조가 제한적 권력을 가짐에 따라 복지국가의 파트너로 인정받지 못했기 때문이다.

④ 빨갱이, 경제위기 주범, 이기주의자라는 비판에 효과적으로 대응하지 못했기 때문이다.

O06 진폐증을 둘러싼 직업병의 정치에서 영국과 한국의 차이를 설명한 것으로 옳은 것은?

① 영국은 진폐증 환자들이 스스로 조직한 이익집단 중심으로 의료적인 문제를 해결했다.

② 한국은 노동조합이 직접 진폐재해자를 조직화하여 진폐문제에 매우 적극적으로 대응해 왔다.

③ 영국은 노동조합이 진보정당과 함께 진폐문제에 대하여 적극적으로 대응해 왔다.

④ 한국은 이익집단이 노동조합과 진보정당과 연계하여 진폐문제를 거시적인 정책의 차원에서 대응해 왔다.

07 | 한국의 노동운동은 복지국가의 형성에 깊이 관여해 오지 못했다. 그 원인으로 가장 옳은 것은?

① 산업별 노조로 조직된 노동조합이 노사자치주의에 빠졌기 때문이다.

② 통일문제에만 지나치게 몰두하여 사회정책에 효과적으로 대응하지 못했기 때문이다.

③ 노동조합이 양대 노총으로 분열되고, 조직률도 매우 낮은 상태에서 효과적으로 사회정책에 개입하지 못해 왔기 때문이다.

④ 민주화 이후 만들어진 민주노총이 선근대화 후사회복지라는 신념을 갖고 근대화에 적극적으로 협력해 왔기 때문이다.

08 | 서유럽 복지국가와 비교하여 한국의 진보정당이 매우 취약하다. 그 이유로 적절하지 않은 것은?

① 시민들의 낮은 정치참여와 정치 자체에 대한 무관심은 진보정치의 성장과 발전에 방해 요소가 된다.

② 남북으로 분단된 상황에서 핵심 이데올로기로 작용한 반공주의가 진보정당의 성장과 발전을 가로막았다.

③ 진보정당과 노동조합이 매우 긴밀하게 연계되어서 국민의 지지를 받지 못한다.

④ 진보정당의 토대가 되며 지지세력인 조직된 노동과 시민의 힘이 서유럽 복지국가보다 약하다.

26강 사회적 위험과 사회복지사

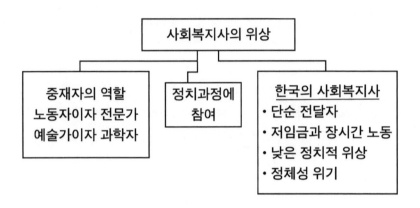

NOTE 사회복지 실천

- 협의
: 사회복지사와 클라이언트의 만남
- 광의
: 클라이언트가 속한 세상과 사회복지사가 이해하고 있는 세상과의 만남
: 세상과 만나는 과정이자 세상을 변화시키는 실천

KEY 01 사회복지사의 위상

1. 사회복지사(사회복지기관)의 역할

① 중재자(mediator)

• 사회복지사는 단순 전달자가 아닌 중재자이어야 함

• 전달자로서의 사회복지사

: 국가(정치사회)의 이야기를 시민사회에 전달

: 시민사회의 욕구를 조직하여 국가에 전달

• 중재자로서의 사회복지사

: 자기결정권과 의견을 가지고 국가와 시민사회에 개입하여 일정한 방향을 부여하는 능동적 행위자

: 국가와 시민사회를 매개하여 시민사회 욕구를 조직하고 이를 국가를 통해 관철시킴

: 국가정책을 시민사회 욕구에 맞게 적용하여 실현함

2. 사회복지사의 위상

① 사회복지사는 노동자이자 전문가

• 사회복지사는 노동력이라는 상품을 판매함

: 사회복지사의 노동은 봉사나 자선행위가 아님

• 사회복지는 전문적 개입과 실천임

② 사회복지사는 예술가이자 과학자

• 현장의 문제해결에 있어서 감동을 주는 예술가

• 체계적 이론과 기법을 구사하는 과학자

C KEY 02 사회복지사가 고려할 점과 정치

1. 사회복지사가 고려해야 할 사항들
① 클라이언트는 고립된 존재가 아니라는 점
- 클라이언트는 사람, 지역사회, 환경으로부터 고립된 존재가 아니므로 모든 것이 변화의 자원 역할을 수행하도록 해야 함
② 클라이언트가 자신을 가장 잘 안다는 점
③ 클라이언트는 매일 변화하고 있다는 점
④ 최종 결정은 클라이언트가 내리도록 해야 한다는 점

2. 사회복지사와 정치
① 사회복지사의 정치적 태도
- 사회복지사는 정치와 무관할 수 없음
: 자신만의 원칙 형성, 반대 의견 존중, 공론의 장 형성
② 사회복지사의 정치적 참여
- 공공정책의 영향 평가
- 법과 정책의 중요성 및 효과에 대한 대중교육
- 공공정책 논쟁에 참여하여 지지 혹은 옹호
- 공공정책 형성에 관여(정당참여, 선거운동)

사회복지사의 역할

- 중개자
: 서비스 체계나 자원을 연결
- 중재자
: 상이한 의견을 지닌 개인, 집단, 조직 간의 차이를 협상
- 협상가
: 서로 화해하고 수용하며 의견의 일치를 유도
- 조정자
: 구성원들을 함께 묶는 역할, 조화를 추구
- 옹호자
: 사회적 약자가 서비스를 받을 수 있도록 해 줌
- 대변자(public speaker)
: 강연을 통해 사회적 부정에 대해 설명하고 해결책 제시
- 역량 강화자
: 클라이언트의 권한·능력을 향상시키고 그에 대한 책임 부여
- 활동가
: 사회 정의, 불평등, 사회적 박탈에 대한 관심과 법적 행동
- 주창자
: 잠재적 문제에 대해 다양한 사람들에게 알림
- 교육자
- 가능하게 하는 사람
: 문제를 분명하게 해 주고 해결 방안을 모색
- 조사연구자

KEY 03 한국의 사회복지사

1. 한국의 사회복지
① 잔여적 복지 실천의 수준
- 권위주의 정부가 주요 행위자
- 반공주의·발전주의 이념에 기반한 복지의식

2. 한국의 사회복지 실천의 특징
① 보충적·선별적 복지
- 일회성, 단기(대체적, 보충적, 임시적, 일시적), 대상 중심
- 공공 인프라 구축보다는 직접 서비스에 치중
- 예방보다는 사후 대응 중심
- 조직화되지 못한 지역공동체(중앙 집중, 정부 주도)

3. 한국의 사회복지사
① 통치받는 전달자 역할
- 사회복지사는 상대적으로 자율적인 중재자가 아니라 통치받는 단순한 전달자 역할에 머뭄
② 한국 사회복지사의 현실
- 저임금, 장시간 노동
- 낮은 정치적 위상과 정체성 위기, 낮은 노동조합 조직률
- 지친 노새(Mule)와 순교자

문제풀이 연습

01 사회복지사를 제도적 사회복지 관점에서 설명한 것과 가장 거리가 먼 것은?

① 사회복지사는 기본적으로 자선과 봉사의 마음가짐을 가지고 있어야 한다.

② 사회복지서비스의 전달자 이상의 역할을 해야 한다.

③ 사회적 위험에 용감하게 맞서서 구조와 권력관계를 바꾸려는 용사들이 사회복지사이다.

④ 사회복지사는 전문가이자 노동자, 즉 전문적 노동자이다.

02 다음의 사회복지사 이미지들 중 그 성격이 다른 하나는?

① 헌신　　　　　　② 정치가
③ 천사　　　　　　④ 봉사자

03 클라이언트와 지역사회의 자원이나 서비스를 적절하게 연결하는 것을 돕는 사회복지사의 역할은?

① 옹호자　　　　　② 중개자
③ 중재자　　　　　④ 촉진

04 다음 중 제도적 복지를 지향하는 사회복지사에 대한 설명으로 옳은 것은?

① 사회복지사는 직업인으로 사회적 위험보다는 개인적 위험에 관심을 가져야 한다.

② 사회복지사는 노동자가 아니므로 언제나 자선과 봉사의 자세로 사회복지실천에 임해야 한다.

③ 사회복지사는 전문적인 지식을 갖는 과학자이며 더불어 복지실천 현장에서 일어나는 갈등과 사회적 모순의 문제를 잘 해결하는 예술가적 자질을 갖추도록 노력해야 한다.

④ 사회복지사는 전문가이므로 반드시 정치적 중립의 태도를 유지해야 한다.

05 한국의 사회복지사에 대한 설명 중 사실과 가장 거리가 먼 것은?

① 사회복지사들은 자신들을 전문직으로 생각하며 복지관, 시설 등으로 분화되어 있어 노동조합 조직률이 매우 낮다.

② 사회복지사들은 높은 동질 의식과 유대감으로 인해 노동조합 조직률이 매우 높다.

③ 한국의 사회복지사들은 저임금과 장시간의 노동조건에 처해 있어서 버거운 짐을 짊어진 노새에 비유되고 있다.

④ 사회복지공무원의 자살은 복지업무가 과도하게 이들에게 몰리는 깔때기 근무가 원인이라는 비판이 있다.

06 | 사회복지사에 대한 제도적 사회복지 관점으로 가장 적절한 것은?

① 사회복지사는 사회복지 서비스 전달자 이상의 역할을 하면 안 된다.

② 사회복지사는 노동자가 아닌 전문가에 해당된다.

③ 사회복지사는 노동자이므로 노동조합을 조직해서 사회문제에 적극적으로 대응해야 한다.

④ 사회복지사는 자선과 봉사의 마음가짐을 가져야 하고 정치와 무관한 태도를 유지해야 한다.

07 | 사회복지사에 대한 다음의 설명 중 가장 적절하지 않은 것은?

① 사회복지사는 전문적 지식을 갖춘 과학자이자 사회복지 실천 현장에서 발생하는 갈등과 모순의 문제를 해결하는 예술가적 자질을 갖추도록 해야 한다.

② 사회복지사는 공공성을 대변하는 사회운동가이자 정치가의 역할을 상황에 따라 해야한다.

③ 사회복지사는 노동자가 아니므로 언제나 자선과 봉사의 자세를 가져야 하며 정치적으로 중립적 태도를 지녀야 한다.

④ 사회복지사는 사회적 위험과 사회문제에 대항하여 싸우는 용감한 용사이다.

08 | 사회복지사에 대한 설명으로 가장 옳지 않은 것은?

① 사회복지사는 정치와 무관할 수 없으므로 정치의 중요성을 인식해야 한다.

② 사회복지사는 노동자이므로 자신을 노동자로 인식하고 조직하며 다른 직업과 지역, 시민사회와의 연대에 적극적으로 나서야 한다.

③ 사회복지사는 클라이언트에 대한 전문적 원조에 관심을 가지고 세계에 대한 자신의 관점 속에서 접근해야 한다.

④ 사회복지사는 전문적 지식을 갖는 과학자이기 때문에 실천 현장에서 일어나는 갈등과 모순의 문제를 해결하는 예술가적 자질은 가질 필요가 없다.

09 | 클라이언트와의 만남을 통해 사회복지 실천을 전개하는 사회복지사가 고려할 사항으로 적절하지 않은 것은?

① 제공되는 자원의 활용 여부 등에 대한 최종적 결정은 클라이언트가 내린다.

② 클라이언트가 자기 자신에 대하여 가장 잘 알고 있다.

③ 클라이언트는 지역사회, 사람, 환경 등으로부터 고립되어 있다.

④ 클라이언트가 매일매일 변화하고 있다.

10 사회복지와 정치의 관계에 대한 설명 중 그 성격이 다른 하나는?

① 사회복지는 지배적 이데올로기에 대하여 비판적 태도로 접근하여 세상에 폭로할 수 있어야 한다.
② 사회복지는 사회복지 서비스의 전달자 역할만 해야 한다.
③ 사회복지는 전문직에 속하기 때문에 정치적으로 중립의 태도를 가져야 한다.
④ 사회복지는 정치와 무관하게 이루어져야 한다.

11 사회복지사의 역할과 그 내용이 잘못 연결된 것은?

① 중재자 - 상이한 의견을 지닌 개인, 집단 간의 차이 협상
② 활동가 - 사회정의, 불평등, 사회적 박탈에 대한 관심
③ 옹호자 - 사회적 약자가 서비스를 받도록 함
④ 협상가 - 구성원들을 함께 묶어 조화를 추구함

12 한국의 사회복지사와 가장 거리가 먼 것은?

① 낮은 정치적 위상과 정체성의 위기
② 상대적 자율성을 지닌 중재자의 역할
③ 저임금과 장시간 노동에 시달림
④ 순교자와 같은 인내를 요구받음

27강 복지국가의 위기와 전망

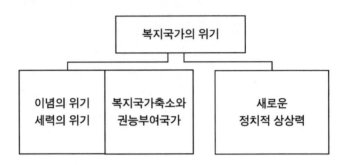

NOTE   괴벨스와 팬옵티콘

- 괴벨스(P. J. Goebbels)
: 나치의 선전장관으로 나치의 생각을 상식으로 만듦
: 권력은 특정 세력의 이익을 보편적 이익인 것처럼 만듦
- 팬옵티콘(Panopticon)
: 제레미 벤담이 제안한 개념
: 한 사람에 의한 감시체계
- 미셸 푸코
: 컴퓨터 통신망과 데이터베이스를 사생활을 감시하는 대상으로 보고 이를 팬옵티콘에 비유
: 누군가 달을 보라고 하면 달을 보라고 한 사람을 보라

KEY 01 복지국가 위기의 정치

1. 위기의 정치
① 개념적 정의
• 경제위기의 원인이 다양함에도 모든 원인을 과다한 사회복지비 지출로 보고 이것을 진실인 것으로 규정하는 정치
② 특징
• 위기의 정치는 프레임 정치
• 진실 그 자체에 대한 관심보다는 진실의 효과에 관심
• 신자유주의적 개혁을 촉구
: 시장경제와 노동시장 유연화를 옹호
③ 복지국가 위기기의 정치가 보는 구조적 원인
• 저출산과 고령화에 따른 복지비 증가
• 세계화에 따른 국가의 자본통제 상실로 인해 완전고용과 고임금 공식이 깨지고 노동시장 유연화로 복지기반 상실

2. 복지국가 위기정치에 대한 비판
① 저출산은 사회복지의 결과이지 원인이 아님
• 사회복지가 취약한 결과로 발생한 저출산
② 고령화의 비용은 장기적 생산성과 관련
③ 위로부터의 세계화가 아닌 밑으로 부터의 세계화도 가능
• 사회정책의 세계화, 저항의 세계화

○ KEY 02 복지국가 이념과 세력의 위기

1. 이념의 위기
① 복지국가 유형의 우편향 움직임
• 자유주의적 복지국가 유형에 대한 선호 증가
: 잔여주의, 선별주의
: 시장, 상품화, 재상품화
: 복지병, 국가개입의 실패
: 자조와 자립, 근면, 경쟁, 기회의 평등
: 대처리즘, 레이거노믹스, 제3의 길

2. 세력의 위기
① 권력자원이론
• 복지국가를 만드는 정치는 계급정치
: 조직노동이 핵심 추진자이자 기둥
: 노동·자본·국가의 균형(사회적 조합주의, 타협의 정치)에서 복지국가 형성
② 1970년대 이후 조직노동의 쇠퇴
• 신자유주의의 조직노동 공격에 따른 조직노동 약화
: 자본과 조직노동 간의 권력관계는 자본 쪽으로 기울고 있음

^{C}KEY$_{03}$ 복지국가의 축소와 권능부여국가

1. 권능부여국가

① 길버트와 테렐(Gilbert & Terrell)

• 복지국가가 권능부여국가로 바뀜

: 사회적 지원 → 사회적 포섭

: 노동의 탈상품화 → 노동의 재상품화

: 무조건적 급여 → 유인과 제재의 활용

: 낙인 방지 → 사회적 형평성 회복

: 공공기관을 통한 서비스 전달 → 민간기관을 통한 전달

: 서비스 형태의 이전 → 현금이나 증서 형태의 이전

: 직접지출에 중점 → 간접지출에 중점

: 공유된 권리라는 연대의식 → 공유된 가치와 시민의 의무

• 복지국가 재편의 핵심

: 노동자 보호 → 근로 촉진

: 보편적 권리 → 선별주의적 표적화

: 공공의 복지 제공 → 민영화

: 사회권으로서의 급여 → 의무를 동반한 급여

KEY 04 복지국가의 다양한 갈림길과 한국사회

1. 다양한 복지국가 행로
① 피어슨(C. Pierson)의 고착효과
• 미미한 수준의 복지국가 축소
: 복지국가는 친복지적 이익집단을 창출하여 복지축소를 방어
: 정착된 복지체제는 고착효과를 지님
: 대처 이후에도 복지는 상대적으로 안정된 섬으로 유지됨
• 복지축소는 복지를 지지하는 이익집단이 약한 경우 발생
② 불균등하게 일어나는 복지축소
• 전체 복지비는 유지
: 보편적 프로그램인 연금과 NHS(national health service)는
유지
: 선별적 프로그램인 실업급여 등은 대폭적 축소 발생

2. 한국사회
① 복지국가 위기의 정치 프레임이 성공적으로 작동
• 저출산, 고령화, 세계화로 인한 복지축소는 불가피
• 복지정치의 취약함을 의미
② 함의
• 복지국가 형성의 정치와 복지국가 축소에 대한 저항의 정치
를 동시에 진행해야 함
: 시민들이 공적인 토론을 통해 새로운 정치적 상상력의 제공
이 필요함

C KEY 05 새로운 정치적 상상력

1. 이상이 일상이 되는 상상
① 토마스 쿤의 과학혁명의 구조
• 과학은 점진적 변화가 아닌 계단식으로 발전
: 과학혁명은 많은 이들의 노력이 누적적으로 응집된 것
: 조그마한 노력들이 모여 어느 순간 변화를 만들어 냄
• 다람쥐와 모소대나무 은유
: 노력한 후에 즉각적인 결과가 없어도 실망하지 말라
: 준비하면서 계속 기다리면 언제가 변화할 것임
② 근거없는 낙관주의의 대표자들
• 끊임없이 비판하는 전략을 구사한 소크라테스와 밀
• 파비우스, 페이비언 소사이어티
: 준비하면서 이상을 기다림
• 프레이리
: 현실을 필링(peeling)할 수 있는 문제제기식 교육을 주장
• 앨린스키
: 변화를 위한 조직화 시행

2. 마중물의 은유
① 누구나 주체가 될 수 있음
• 누구나 한 바가지의 물이 될 수 있음
: 마중물은 권력에 밀착하여 대변하는게 아니라 공동체를 위해 끊임없이 비판하는 것

Healing을 넘어 Peeling으로

- 힐링(healing)의 태도 - 선별주의/잔여주의
: 몸과 마음이 지친 나를 위로하는 태도
: 인디언이 달리던 말을 멈추고 지친 나의 영혼이 쫓아오는지 돌아 봄(지친 자기 영혼을 기다림)
- 필링(peeling)의 태도 - 보편주의/제도주의
: 문제의 표면적 현상의 껍질을 벗겨내고 본질을 찾음
: 나를 지치게 한 본질을 문제삼는 태도
: 나의 달리는 말에 눈가리개를 한 자를 찾음

[QUIZ] **48** 다음 중 필링(peeling)의 태도와 연관된 것은?

① 인디언이 말을 타고 앞으로 가다가 지쳐서 미처 쫓아오지 못하는 자신의 영혼을 기다리기 위해 뒤를 돌아본다.
② 문제해결의 핵심을 힐링(healing)으로 보고 이를 적극적으로 옹호한다.
③ 문제의 원인을 개인의 노력부재에서 찾는다.
④ 자신의 달리는 말에 눈가리개를 한 자를 적극적으로 찾아 나선다.

01 '이상이 일상이 되도록 상상하라'와 가장 관련성이 없는 것은?

① 이상이 일상(현실)이 되는 상상에 가장 큰 방해물 중 하나는 체념과 냉소이다.

② 이상은 철학과 이념에 해당된다.

③ 이상이 일상이 되는 상상은 설계도면의 상상과 가능한 실천의 상상 등과 깊이 관련되어 있다.

④ 이상이 일상, 즉 현실이 되는 것은 불가능하므로 상상만 해야한다.

02 힐링(healing)이 지친 나를 위로하는 태도이고 필링(peeling)이 나를 지치게 하는 본질을 문제삼는 태도라고 할 때, 힐링과 깊이 연관되어 있는 것은?

① 말을 타고 가다가 지쳐버린 자기 영혼을 기다린다.

② 힐링(healing) 후에 반드시 필링(peeling)을 해야 한다.

③ 문제의 원인을 권력관계와 구조에서 찾는다.

④ 달리는 말에 눈가리개를 한 자를 찾아내어 비판한다.

03 다음 중 낙관의 은유에 대한 적절한 설명으로 거리가 가장 먼 것은?

① 모소대나무(Moso Bamboo)는 당장의 성과가 나지 않아도 실망하지 말라는 교훈을 우리에게 준다.

② 토머스 쿤의 과학혁명의 구조는 조그마한 노력들이 쌓여서 임계치를 넘는 어느 순간에 변화를 만들 수 있다는 메시지를 던져준다.

③ 다람쥐 은유에서 도토리를 묻어 놓고 잊어버리는 것은 우리에게 정신을 똑바로 차리라는 교훈을 주고 있다.

④ 모소대나무 현상은 끊임없이 준비하면서 기다리면 언젠가는 변화한다는 것을 상징한다.

04 인디언이 말을 타고 달리다가 보인 다음의 태도 중 그 성격이 다른 하나는?

① 지쳐버린 나 자신을 힐링하기보다는 지치게 만든 구조와 권력관계를 비판한다.

② 내가 지친 원인을 너무 앞만 보고 달려온 자신에게 있다고 자책한다.

③ 달리는 말에 눈가리개와 귀마개를 한 자를 문제삼는다.

④ 나를 지치게 한 본질을 생각한다.

○ 05 다음 중 필링(peeling)의 태도와 깊이 연관되어 있는 것은?

① 인디언이 말을 타고 달리다가 지친 자신의 영혼을 기다리기 위해 뒤돌아 본다.

② 먼저 힐링(healing)을 한 후에 필링을 해야 한다.

③ 문제의 원인을 나 자신에게서 찾는다.

④ 달리는 자신의 말에 눈가리개를 씌운 자를 찾아내려고 노력한다.

○ 06 다음 중 마중물의 은유에 대한 설명과 가장 거리가 먼 것은?

① 유연하고 개방적이어야 한다.

② 권력으로부터는 어느 정도 떨어지되 공동체에는 긴박(緊縛)되어야 한다.

③ 사회를 구성하는 모든 시민의 참여보다는 이들을 이끄는 소수 엘리트의 참여가 더 중요하다.

④ 누구나 한 바가지의 물이 될 수 있다는 것으로 누구나 실천의 주체가 될 수 있다는 것을 의미한다.

07│ 다음 중에서 필링(peeling)의 태도와 가장 관련된 것만으로 묶인 것은?

> ⊙ 나 자신을 지치게 만든 문제의 본질을 문제삼는다.
> ⓛ 자신의 달리는 말에 눈가리개를 씌운 자를 비판한다.
> ⓒ 문제원인을 권력관계와 구조보다는 개인에게서 찾는다.
> ⓔ 적극적인 힐링(healing)을 통해 지친 몸을 회복하고 자기계발에 더욱 힘쓴다.
> ⓜ 말을 타고 달리다가 지친 영혼을 기다리기 위해 잠시 쉬면서 뒤를 돌아본다.
> ⓗ 힐링(healing)의 태도가 기존 체제를 유지할 수 있다는 점에서 비판한다.

① ⊙, ⓛ, ⓗ
② ⊙. ⓛ, ⓜ
③ ⓒ, ⓔ, ⓜ
④ ⊙, ⓒ, ⓗ

08│ 다음 중 필링(peeling)의 태도와 가장 관련된 것은?

① 문제의 원인이 정신없이 너무나 빨리 달려 온 자기 자신에게 있다고 생각한다.
② 문제의 원인이 무기력한 나 자신에게 있으므로 긍정적인 마음을 가지기 위해 노력한다.
③ 권력관계와 구조에서 문제의 원인을 찾는다.
④ 지쳐버린 자신의 영혼을 문제삼는다.

Quiz 정답

번호	01	02	03	04	05	06	07	08
정답	④	④	④	②	①	③	③	①

번호	09	10	11	12	13	14	15	16
정답	③	②	④	①	②	④	④	④

번호	17	18	19	20	21	22	23	24
정답	③	②	③	④	②	②	④	④

번호	25	26	27	28	29	30	31	32
정답	②	③	②	②	①	②	①	③

번호	33	34	35	36	37	38	39	40
정답	②	②	①	②	②	②	①	②

번호	41	42	43	44	45	46	47	48
정답	③	④	①	②	③	①	④	④

문제풀이 연습 정답

	01강	02강	03강	04강	05강	06강
01	③	①	①	③	③	④
02	③	②	③	③	③	③
03	③	②	②	②	①	②
04	③	①	①	②	①	③
05	①	③	③	④	②	①
06	③	③	③	③	②	④
07	①	①	②	④	②	②
08	②	④	②	②	①	
09	②	③	④	①	②	
10	②	③	③	③	②	
11	②	②	④	③	③	
12	④		③	③	④	
13	①		②	④		
14	④			①		
15				①		
16				③		
17				①		
18				①		

문제풀이 연습 정답

	07강	08강	09강	10강	11강	12강
01	④	③	②	④	③	①
02	④	③	③	②	④	④
03	①	④	②	①	③	②
04	③	③	③	②	②	③
05	②	③	②	①	①	④
06	③	①	④	④	③	①
07	②	④	②	③	①	②
08	④	②	③	④	②	②
09	④	④	④	④		①
10	①		④	④		③
11	③		④			④
12	②		②			①
13			①			②
14			④			④
15			①			④
16			④			①
17						
18						

문제풀이 연습 정답

	13강	14강	15강	16강	17강	18강
01	④	②	④	④	①	①
02	④	①	③	①	③	④
03	①	③	②	②	④	②
04	①	②	①	②	②	④
05	②	③	③	③	④	④
06	①	③	②	②	②	④
07	③	④	②	②	④	①
08	③	②	①	②	②	④
09	③		④	③	①	④
10	②		④	②	②	②
11	①			③	④	①
12	①			④	①	③
13	④			②	①	①
14	③			②	③	④
15				①	④	
16						
17						
18						

문제풀이 연습 정답

	19강	20강	21강	22강	23강	24강
01	④	③	②	③	③	④
02	①	①	①	①	②	③
03	③	④	③	①	④	④
04	④	④	①	③	②	③
05	②	②	②	②	④	④
06	④	①	④	④	③	③
07	②	③	①	②	④	②
08	④	①	③	①	③	②
09	①	①	②	④	②	②
10		②	①	①	③	③
11		①	②	③	①	④
12			③	③	③	③
13			①		④	③
14			①		①	②
15					①	①
16					③	④
17					④	
18					②	

문제풀이 연습 정답

	25강	26강	27강
01	④	①	④
02	③	②	①
03	③	②	③
04	②	③	②
05	②	②	④
06	③	③	③
07	③	③	①
08	③	④	③
09		③	
10		①	
11		④	
12		②	
13			
14			
15			
16			
17			
18			